CONTEMPORÁNEA

Juan Marsé nació en Barcelona en 1933. Hasta los veintiséis años trabajó en un taller de relojería. De formación autodidacta, su primera novela, *Encerrados con un solo juguete*, apareció en 1960, seguida por *Esta cara de la luna*, en 1962. *Últimas tardes con Teresa* (1966), que obtuvo el Premio Biblioteca Breve, constituye junto a *La oscura historia de la prima Montse* (1970) el punto de arranque de un universo narrativo que estará presente en toda la producción literaria del autor: la Barcelona de la posguerra y el contraste entre la alta burguesía catalana y los emigrantes. *Si te dicen que caí* (1973), considerada como su gran obra de madurez, fue prohibida por la censura franquista y publicada en México, y galardonada con el Premio Internacional de Novela México 1973. *La muchacha de las bragas de oro* (1978) le valió el Premio Planeta. En *Un día volveré* (1982) recupera algunos de los temas y escenarios más recurrentes de su narrativa. En 1984 publicó *Ronda del Guinardó*, en 1986 la colección de relatos *El teniente Bravo* y en 1990 *El amante bilingüe*. *El embrujo de Shanghai* (1993) fue galardonada con el Premio Nacional de la Crítica y con el Premio Europa de Literatura 1994. En el 2000 publicó *Rabos de Lagartija*, Premio Nacional de la Crítica y Premio Nacional de Narrativa.

Biblioteca

JUAN MARSÉ

El embrujo de Shanghai

DeBOLS!LLO

Diseño de la portada: Alicia Sánchez
Fotografía de la portada: © Ryan McVay/Photodisc

Séptima edición en este formato: septiembre, 2008

© Juan Marsé, 1993, revisada en 1997 y en 2001
© 1999, Random House Mondadori, S. A.
   Travessera de Gràcia, 47-49. 08021 Barcelona

Printed in Spain – Impreso en España

ISBN: 978-84-9793-174-8 (vol. 158/7)
Depósito legal: B. 43419 - 2008

Fotocomposición: Zero pre impresión, S. L.

Impreso en Novoprint, S. A.
Energia, 53. Sant Andreu de la Barca (Barcelona)

P 831742

*A la memoria de la Rosa de Calafell
y de la Berta de L'Arboç.
Para la Carmen de Santa Fe.
Para la Joaquina de Herguijuela*

La verdadera nostalgia, la más honda, no tiene que ver con el pasado, sino con el futuro. Yo siento con frecuencia la nostalgia del futuro, quiero decir, nostalgia de aquellos días de fiesta, cuando todo merodeaba por delante y el futuro aún estaba en su sitio.

LUIS GARCÍA MONTERO
Luna en el sur

CAPÍTULO PRIMERO

1

Los sueños juveniles se corrompen en boca de los adultos, dijo el capitán Blay caminando delante de mí con su intrépida zancada y su precaria apariencia de Hombre Invisible: cabeza vendada, gabardina, guantes de piel y gafas negras, y una gesticulación abrupta y fantasiosa que me fascinaba. El capitán iba al estanco a comprar cerillas y de pronto se paró en la acera y olfateó ansiosamente el aire a través de la gasa que afantasmaba su nariz y su boca.

—Y tan desdichada carroña está en la calle, se huele —dijo—. Pero hay algo más... Sin querer ofender a nadie, se percibe otra descomposición de huevos. ¿No lo notas?

Siguió el anciano husmeando su quimera predilecta ayudándose con nerviosos golpes de cabeza, y yo también me paré a oler. El capitán tenía el don de sugestionarme con su voz mineral y sentí un vacío repentino en el estómago y una sensación de mareo.

Así empieza mi historia, y me habría gustado que hubiese en ella un lugar para mi padre, tenerlo cerca para aconsejarme, para no sentirme tan indefenso ante los delirios del capitán Blay y ante mis propios sueños, pero en esa época a mi padre ya le daban definitivamente por desaparecido, y nunca volvería a casa. Pensé otra vez en él, vi su cuerpo tirado en la zanja y los copos de nieve cayendo lentamente y cubriéndole, y luego pensé en las enigmáticas palabras del viejo mochales mientras iba andando pegado a sus talones camino del estanco de la plaza Rovira, cuando, al pasar frente al portal número 8, entre el colmado y la farmacia, el capitán se paró en seco por segunda vez y su temeraria nariz, habitualmente desnortada y camuflada bajo el vendaje, detectó de nuevo la pestilencia.

—¿No reconoces esa gran tufarada, muchacho? —dijo—. ¿Tu cándida naricilla maliciada en el incienso de Las Ánimas y en el agrio sudor de las sotanas ya no distingue el hedor...? —Se interrumpió estirando el cuello, resoplando como un caballo nervioso—: ¿A huevos podridos, a mierda de gato? Nada de eso... Ahí, en ese portal. ¡Ya sé lo que es! ¡Gas! ¡Se veía venir esta miseria!

En el interior del zaguán anidaba ciertamente un tufo a miseria casi permanente, pues era refugio nocturno de mendigos, pero el capitán supo distinguir en el acto una pestilencia de otra y además afirmó que el olor a gas no salía de allí, sino de la maltrecha acera que pisábamos, de las grietas donde crecía una hierba rala y malsana.

Él mismo se encargó de alertar al vecindario. Lo comentó en el estanco, en la farmacia y en la parada de tranvías, y aunque sus arranques de locura senil eran bien conocidos, desde ese día todo aquel que pasaba por la acera alta de la plaza y husmeaba el aire, detectaba el olor con sobresalto. Las mujeres se alarmaron y una vecina avisó a la Compañía del Gas.

—Se trata sin duda de una tubería rota que deja filtrar esa mierda —no se cansaba de repetir el capitán

Blay en la taberna de la plaza—. Muy peligroso, señores, todos haríamos santamente evitando circular por allí y metiéndonos cada uno en su casa, a ser posible... Y mucho cuidado con encender cigarrillos junto al quiosco, a vosotros os digo, chavales.

—Sobre todo —advirtió su amigo el señor Sucre a la clientela habitual de bebedores, que escuchaban entre recelosos y burlones—, cuidado con las miradas llameantes y con las ideas incendiarias y la mala leche que algunos todavía esconden. ¡Mucho cuidado! La vieja castañera frente al cine, con su fogón y su lengua viperina, también es un peligro. Una chispa o una palabra soez, y ¡bum!, todos al infierno.

—Cuidado vosotros dos, puñeta, que quemáis periódicos detrás del quiosco —replicó un tranviario socarrón que bebía orujo—. Un día volaremos todos por los aires, con la parada de tranvías y la fuente y...

—¡¿Y a qué hemos venido a este mundo sino a volar todos por los aires en pedazos, me lo quieres decir, tranviario carcamal vestido de pana caqui?! —gritó el capitán moviendo sus largos brazos como aspas de molino y restregando los pies en la alfombra de serrín y huesos de aceituna. El vendaje de la cabeza se le había aflojado y colgaban junto a su oreja grumos de algodón deshilachado y amarillento—. ¡Vuele usted en mil pedazos, hombre de Dios, se sentirá mucho mejor!

—Puede que lo haga, sí señor —dijo el tranviario, y mirándome añadió—: Llévatelo ya, chaval. Está como una chota.

Transcurrieron quince días y persistía el tufo en la plaza, y a pesar de las reiteradas quejas de los vecinos a la Catalana de Gas y al Ayuntamiento, nadie vino a efectuar una revisión. Desde la puerta de la taberna se podía observar que todo seguía igual un día tras otro; los viandantes alertados bajaban de la acera evitando pasar por delante del portal, y los inquilinos del edificio, tres plantas con balcones corridos rebosantes de geranios, salían y entraban escurriéndose como ratas asustadas. Los Chacón y yo solíamos transitar expresamente por ese tramo de la acera calentándonos el coco con la emoción del peligro, la inminencia de una catástrofe.

Me encontraba por aquel entonces en una situación singular, nueva para mí, que a ratos me sumía en el tedio y la ensoñación: había dejado la escuela y aún no tenía trabajo. O mejor dicho, lo tenía aplazado. Debido a cierta habilidad que yo mostraba desde niño para el dibujo, mi madre, por consejo y mediación de un joyero fundidor amigo suyo, el señor Oliart, había hecho gestiones para que me admitieran como aprendiz y recadero en un taller de joyería no muy lejos de casa; en el taller le dijeron a mi madre que no precisaban de otro aprendiz hasta dentro de diez meses por lo menos, pasadas las vacaciones del próximo verano, pero aun así ella decidió que el oficio de joyero era justo el que me convenía y se comprometió a mandarme al taller en la fecha acordada. Mi supuesta maña para dibujar y mi gusto por la lectura fueron determinantes en esa decisión: guiada ante todo por el sentido práctico —no podía pagarme estudios y en casa hacía falta otra semanada—, pero seguramente aún más por su intuición, mi madre quiso encarrilar así un destino que ella preveía marcado por algún tipo de sensibilidad artística, dicho sea en su sentido más vago y prosaico. Sin embargo, por aquel entonces yo me sentía incapaz de asociar la joyería artística a mis inquietudes, y lo único que me gustaba, además de leer y dibujar, era vagar por el barrio y el parque Güell.

Solía juntarme en la taberna de la plaza esquina Providencia con dos chavales de mi edad, los hermanos Chacón, cuya desvergüenza y libertad de movimientos envidiaba secretamente. Eran precarios y confusos sus medios de vida, y también lo eran sus correrías por la barriada; liberados de la escuela mucho antes que yo, habían trabajado ocasionalmente de repartidores y de chicos para todo en colmados y tabernas, y ahora se les veía callejear todo el día. Nunca supe exactamente dónde vivían, creo que en una barraca de la calle Francisco Alegre, en lo alto del Carmelo. Los domingos vendían tebeos usados y sobadas novelas de quiosco a precios de saldo.

Corría el mes de noviembre y la pequeña plaza ensimismada y gris se cubría con las hojas amarillas de los plátanos, el frío se había anticipado y el invierno prometía ser duro. La gente transitaba deprisa y encogida, pero el señor Sucre iba siempre como sonámbulo, hablando solo y comportándose como si dudara de su propia existencia o como si temiera convertirse de pronto en un fantasma. Solía decir que, en días desapacibles y de mucho viento, tenía que echarse a la calle en busca de su propio yo extraviado. Y, en efecto, le veíamos rastreándose a sí mismo por las calles de Gracia con las manos a la espalda y la cabeza gacha, indagando en tabernas y farmacias y droguerías, en recónditas y polvorientas librerías de viejo y en humildes exposiciones de pintura, preguntando a la gente hasta dar con su nombre y sus señas. Y nos contaba a los Chacón y a mí que le costaba tanto volver a ser el que era, y que recibía tan poca ayuda, que a veces tenía ganas de mandarlo todo a paseo y resignarse a ser nadie tomando el sol tranquilamente sentado en un banco de la plaza Rovira. Pero lo más frecuente era verle buscándose ansioso y enrabiado en los sitios más inesperados, dicen que un día se paró ante el cuartel de la Guardia Civil de la Travesera y preguntó al centinela cuál era su nombre y domicilio —el suyo propio, no el del centinela—, y que éste se espantó y llamó a gritos al sargento de guardia y menudo follón se armó.

—A ver, chicos, ¿queréis hacer el favor de decirme

15

cómo me llamo y dónde vivo? —El señor Sucre se había parado en la puerta de la taberna y distrajo momentáneamente nuestra atención del portal número 8—. Por favor.

—Se llama usted don Josep Maria de Sucre y vive en la calle San Salvador —respondí automáticamente.

Asintió pensativo, parecía bastante satisfecho con los datos. Sin embargo, antes de admitir completamente su identidad, volvió a recelar:

—¿Y qué os parece, es posible, es verosímil que haya nacido en Cataluña y que sea artista pintor, poco o más bien nada cotizado, viejo amigo de Dalí, y que no tenga un duro...? —susurró mirándonos con una luz burlona en los ojos.

—Sí, señor. Eso dicen.

—En fin, qué le vamos a hacer —suspiró, y con la mano afectuosa despeinó mi cabeza y la de Finito Chacón—. Sois unos chicos muy atentos y respetuosos con este ganso explorador... Gracias.

Para tranquilizarle del todo y no para pitorrearse de él, como habría pensado más de uno, Finito Chacón le proporcionó más datos:

—Y cada día suele usted venir a charlar un rato con los tranviarios en la parada, y luego compra el periódico en el quiosco y lo quema con una cerilla sentado en un banco, a veces en compañía del capitán. Y luego se viene al bar.

—Ya. Enterado. Y ahora, ¿podrías decirme a qué he venido, si me haces el favor?

—Pues ha venido usted —intervino Juan Chacón pacientemente— a tomarse un carajillo de anís, como todas las tardes, y a ver si por fin ese tal Forcat se decide a salir a la calle.

—Será eso —admitió resignado el señor Sucre, y se encaminó hacia el mostrador farfullando—: Sí, será eso, qué le vamos a hacer.

Al otro lado de la plaza, en la fachada rojiza del cine Rovira, Jesse James llevaba toda la semana cayéndose de la silla en el comedor de su casa, acribillado traicioneramente por la espalda, y en el otro cartelón de toscos colores, la Madonna de las Siete Lunas se asomaba por encima de las ramas deshojadas de los árboles esgrimiendo un puñal y una mirada maligna que escrutaba el paso de los tranvías girando en la curva del Torrente de las Flores. Pero no era el cine lo que esta tarde atraía la atención de algunos vecinos congregados en la puerta del bar Comulada, ni la tan comentada fuga de gas frente al portal número 8, ni era la excitante posibilidad de una explosión lo que nos impedía apartar los ojos de allí, sino la curiosidad de ver salir a un hombre por ese portal. Al principio, nuestro interés en ver al desconocido era un reflejo de la curiosidad de los mayores, porque nunca antes le habíamos visto ni sabíamos nada de él; luego nos enteramos que se llamaba Nandu Forcat, que era un refugiado que volvía de Francia después de casi diez años y que era amigo del Kim, el padre de Susana. Llevaba pocos días en casa, con su anciana madre muy enferma y una hermana soltera, y se comentó que la policía tenía que saberlo y que seguramente ya le habrían interrogado en Jefatura, pero que, por alguna razón que nadie alcanzaba a explicarse, lo habían soltado.

Nosotros no podíamos en aquel entonces ni siquiera intuir que el personaje era improbable, lo mismo que el Kim: inventado, imaginario y sin fisuras, un personaje que sólo adquiría vida en boca de los mayores cuando discutían, reticentes y en voz baja, sus fechorías o sus hazañas, según el criterio de cada cual. Creíamos, eso sí, que nunca llegaría a ser una leyenda como ya lo era el Kim, en cuya banda Forcat había militado o todavía militaba. Tenía partidarios y detractores a partes iguales, unos opinaban que era un hombre culto y educado que

+ Mettre les choses au point

luchó por sus ideales, un honrado anarquista criado en la Barceloneta, hijo de pescadores, que se pagó la carrera de Magisterio trabajando de camarero, y otros decían que no era otra cosa que un delincuente, un atracador de bancos que probablemente había traicionado a sus antiguos camaradas y al que, ahora que volvía, más de uno tendría ganas de ajustarle las cuentas. Y que precisamente por eso le costaba tanto salir de casa. Puestos a imaginarlo, los Chacón y yo preferíamos entonces al hombre de acción, el que se jugaba la piel con el revólver en la mano y siempre en compañía del Kim, espalda contra espalda, protegiéndose el uno al otro...

Durante cuatro días, Nandu Forcat no salió a la calle y ni siquiera se asomó al balcón. Frente al portal flotaba noche y día el olor a gas y ahora una sensación doblemente excitante se adueñaba de uno al pasar por allí, como si el gas y el pistolero hubiesen establecido una alianza peligrosa. Al atardecer del quinto día, el capitán Blay compró el diario *Solidaridad Nacional* y le prendió fuego detrás del quiosco, muy cerca del portal. Dos mujeres que pasaban por allí fueron presa del pánico y echaron a correr chillando, pero no se produjo ninguna explosión.

Al día siguiente, hacia las cuatro de una tarde que amenazaba lluvia, se presentó inesperadamente una brigada de obras de la Compañía del Gas, dos hombres y un capataz, y manejando picos y palas levantaron la acera y abrieron una zanja frente al número 8. Su trabajo despertó expectación en la plaza. Dejaron medio al descubierto una maltrecha red de tuberías como tripas herrumbrosas, pusieron vallas, y a modo de puente tendieron tablas desde el portal hasta el bordillo de la acera para facilitar el paso de los inquilinos. Y eso fue todo lo que hicieron. La verdad es que aquello parecía una chapuza; levantaron seis o siete metros de acera, pero el hoyo que cavaron no tendría más de dos metros de largo y era poco profundo. Y ya no cavaron más.

Uno de los obreros se acercó al bar con una botella de gaseosa vacía, pidió que se la llenaran de vino tinto, pagó, volvió junto a sus compañeros y los tres se sentaron en las baldosas apiladas en la acera y se pasaron el resto de la tarde empinando el codo y contemplando medio adormilados el movimiento en la parada de tranvías y en torno al quiosco. El capataz, de vez en cuando, escupía en la tierra negruzca amontonada junto a la acera y echaba una fría mirada a la zanja. Al oscurecer levantaron una pequeña tienda de lona y guardaron allí las herramientas. Luego se fueron.

Al sexto día de la llegada de Forcat, la inactividad de la brigada se hizo aún más ostensible. Ninguno de ellos cogió un pico ni una pala absolutamente para nada. Frecuentaban el bar de uno en uno, para mear o para llenar de vino la botella, y sin entablar conversación con nadie. En otra ocasión, el más joven de ellos, un tipo hosco y fornido con boina calada hasta las cejas, se acercó al vestíbulo del cine para mirar las fotos clavadas en el panel; las miraba ceñudo, como si no entendiera. A ratos también se le veía pegado a los flancos policromados del quiosco, las manos en los bolsillos, entretenido en descifrar las cubiertas de los tebeos colgados con pinzas.

En el bar se comentó que estaban esperando la llegada del técnico de la Compañía, pero Finito Chacón y yo pensábamos en algo muy distinto. Transcurrieron sábado y domingo y los obreros volvieron el lunes a primera hora de la mañana, y luego pasaron dos días más y todo seguía igual, la zanja abierta y los tres hombres mano sobre mano haciendo guardia junto a ella, esperando nadie sabía qué, y entonces alguien en el bar dijo coño, esto es muy extraño y aquí hay gato encerrado, y otro parroquiano le contestó que no había de qué extrañarse: aquellos obreros no eran de la Catalana de Gas, sino del Ayuntamiento, ¿nunca habéis visto gandulear a los empleados de obras públicas?, lo raro sería verles trabajar, comentó riendo. Para nosotros, sin embargo, aquello era un enigma y sólo tenía una explicación: no eran empleados de la Compañía del Gas ni del Ayuntamiento, no habían venido a reparar ningún escape ni estaban esperando la llegada de ningún técnico ni nada de eso. Saben que este refugiado ha vuelto, saben que está en casa y que un día u otro ha de salir por este portal. Todo eso de la zanja es teatro, un pretexto para estar ahí de guardia sin levantar sospechas. Esta zanja, en realidad, podría ser la tumba de Forcat.

2

El jueves por la mañana lloviznó un buen rato y el montón de tierra de la zanja se esponjó, se oscureció aún más y finalmente se amazacotó. Al mediodía estábamos merodeando alrededor del quiosco para ver de cerca a los tres hombres sentados en el bordillo de la acera; se pasaban el uno al otro la botella de morapio y hablaban poco. La abuela Sorribes, que vivía en el número 8 y venía de la compra, se disponía a entrar en el portal pisando cuidadosamente las tablas enfangadas, cuando resbaló y estuvo a punto de caerse. Una mandarina saltó de la bolsa repleta y fue a parar al fondo de la zanja. La vieja tenía mala uva.

—¡¿Cuánto va a durar esta puñeta?! ¡A vosotros os digo, gandules! ¡¿Es que nunca vais a tapar este dichoso agujero?!

—Cuando nos lo manden, abuela —masculló el capataz—. Seguramente habrá que ahondarlo aún más.

—¡¿Y a qué esperáis entonces?! ¡Vagos, más que vagos! —Despotricando sobre las tablas resbaladizas la vieja entró en el portal—. ¡Qué asco! ¡Cómo lo han puesto todo!

—¡Eh, señora, que esa mierda ya estaba ahí cuando llegamos! —protestó el más joven—. ¡No te jode la abuelita!

A la hora de comer sacaron sus fiambreras abolladas y sus navajas y servilletas. Yo tenía que acompañar al capitán Blay a su casa, pero ese día no quiso seguirme. Dijo que vendría a buscarlo su mujer, más tarde, y lo dejé en la taberna con el señor Sucre. Me fui con los Chacón y al pasar junto a los obreros, el más alto, de cabeza rapada, nos llamó.

—Eh, chavales. —En su fiambrera se veía una masa pejuntosa de arroz hervido—. Hacedme el favor, acercaros uno de vosotros al bar a por un pellizco de sal, hombre. Que no sé en qué estaría pensando hoy la parienta, pero esto no hay quien se lo coma... Anda, chico, tú mismo.

Juan echó a correr hacia el bar. Su hermano y yo le esperamos sin movernos de allí, viendo comer al otro peón y al capataz; éste, potaje de garbanzos con bacalao; el otro, lentejas con tocino. Masticaban deprisa y con semblante aburrido, y el capataz nos miró una sola vez, pero fue como si no nos viera; tenía ojos de agua y los párpados enfermos, y con la mano yerta, sin mirar lo que hacía, tanteó la botella de vino que su compañero le ofrecía. Desde la zanja llegaba hasta nuestras narices un suave olor a mierda de gato. Juan volvió corriendo con un puñado de sal en un trozo de papel y el peón rapado le dio las gracias. Entonces Finito, como si hubiera estado esperando este momento, se atrevió a preguntarle por qué no terminaban de cavar la zanja y por qué no buscaban el escape de gas.

—¿Quién te ha dicho que hay un escape de gas? —gruñó el hombre esparciendo la sal en el arroz.

—Todo el mundo lo sabe —dijo Finito.

—¿Ah, sí? Se ve que sois muy listos en esta plaza. Lo único que hemos encontrado es una calavera.

—¿Una calavera?

—Eso he dicho. —El hombre de cabeza rapada cambió una mirada con sus compañeros y añadió—: Una calavera y algunos huesos. Y por eso hemos parado de cavar, de momento. Tiene que venir alguien a mirar eso, un catedrático... Debajo de esta plaza hay un cementerio lleno de muertos, chaval. Cientos, miles de muertos. Son huesos antiguos de gran valor, huesos muy importantes, ¿comprendes? Que digan aquí mis colegas si miento.

—No miente, no —dijo el más joven.

—¿Y dónde está la calavera? —preguntó Finito—. ¿Podemos verla?

—Claro que no. La están estudiando.

No tragamos, por supuesto. Podía ser una broma y esperábamos la risotada de un momento a otro, pero siguieron comiendo como si tal cosa, rascando con sus cucharas el fondo de las fiambreras y trasegando vino.

—Y por eso —prosiguió el peón de la cabeza pelona— creéis oler el gas. No hay ninguna fuga de gas. Ese pestucio es el que sueltan los huesos de los muertos cuando se juntan muchos. También echan al aire una luz verde como de fósforo, yo la he visto a veces en los cementerios, de noche... El olor se parece mucho al del gas, mismamente es un gas, el gas de los difuntos. Por mi madre que sí.

No dijimos nada. Esa patraña confirmaba nuestras sospechas; estaban allí para otra cosa, la obra no era más que una tramoya. Yo miraba con ansiedad la fosa y el portal y entonces noté los ojos de agua del capataz clavados en mí.

—¿Qué te preocupa, muchacho? —murmuró con una voz rota.

—¿A mí? Nada.

Me miró en silencio con sus ojos tristes y fatigados, un buen rato, y finalmente dijo:

—¿Tienes miedo?

—¿Yo? De qué.

De nuevo guardó silencio, y era como si renunciara a hacerse entender, no sólo conmigo, sino también consigo mismo. Lo percibí en sus ojos y en su voz:

—Anda, vete a casa. Tu madre te estará esperando para comer. Y vosotros también. Largo de aquí.

No me dolieron sus palabras, sino sus ojos anegados. Dejó de mirarnos y se quedó pensativo y cabeceó un poco con una mezcla de autoconmiseración y de impotencia, y masculló con voz casi inaudible mierda puta sin que pudiera uno saber a quién se dirigía ni qué ofensa pasada o futura evocaba o presentía. Un gato negro se encaramó al montículo junto a la zanja para husmear los grumos oscuros de tierra, y las ruedas de un tranvía girando frente al cine chirriaron en las vías y dentro de mi cabeza. Recuerdo todavía los ojos de aquel hombre y la jodida sensación de negligencia y confusión que me invadió, como cuando me saluda muy amistosamente un conocido cuyo nombre y afecto por mí he olvidado.

Nos fuimos para casa y convinimos que, de todos modos, aun pareciendo inofensivos vistos de cerca, aquellos tipos escondían sus intenciones, cualesquiera que fuesen. Y acordamos juntarnos en la plaza después de comer para seguir espiando sus movimientos.

A media tarde se levantó viento, soplaba a rachas y era húmedo, arremolinó las hojas amarillas contra el costado del quiosco y las sepultó en la zanja, y yo me puse a pensar en los hombres encogidos y mudos que se frotaban las manos a mi lado tras los cristales de la taberna, en tantas tabernas del barrio y de la ciudad a esta hora, hombres oscuros y retraídos que bebían de pie mirando la calle o junto al mostrador o arrimados a los toneles de vino como si la vida les hubiera acorralado allí, sobre una sucia alfombra de serrín y escupitajos. Y más tarde llegaron Finito y Juan y estábamos mirando una paloma que aleteaba inmóvil sobre la fuente de la plaza, como suspendida de un hilo invisible, cuando, inesperadamente, Nandu Forcat apareció en el portal de su casa, al borde de la zanja, con una gabardina gris echada sobre los hombros, gafas oscuras y un cigarrillo sin encender en los labios. Lucía una vistosa corbata, de un fulgor anaranjado y malva, y era un hombre alto, cargado de hombros y de barbilla prominente. Miró durante unos segundos el quiosco y la parada de tranvías y, todavía inmóvil, encendió el cigarrillo con un mechero, y en ese momento yo no pensé que la llama podía hacer volar la plaza entera, sino en los tres hombres que estaban sentados en un banco pasándose, una vez más, la botella de vino. El capataz le vio en el acto, pero no hizo el menor movimiento ni alertó a sus compañeros.

Antes de disponerse a salir pisando las tablas, Forcat miró el fondo de la zanja que se abría ante él, vio seguramente el amasijo de tubos y cables eléctricos retorcidos y roídos por la humedad, vio las hojas muertas y la mandarina podrida, y luego abarcó con una lenta mirada circular la plaza macilenta y tranquila que se abría ante él, sin fijarse ni un segundo en los tres hombres sentados en el banco; sus ojos escudados en las gafas negras se demoraron solamente en un punto del vacío, en no sabíamos qué, en la derrota de su vida tal vez, en algo que más tenía que ver con su sombrío corazón que con lo que podía verse ahora en torno al quiosco y la parada de tranvías bajo un cielo plomizo, esa luz sobresaltada del atardecer y la gente transitando como sombras furtivas, los niños con sus gruesas bufandas y sus rodillas moradas de frío correteando de la churrería a la fuente y dos o tres palomas que picoteaban en el charco.

Por más que no dejamos de observarle en su inmovilidad un poco envarada, por mucho que nos fijamos en sus manos largas y oscuras y en su boca tensa, no pudimos captar ninguna señal que estableciera una alianza entre muerte y escenario, ningún gesto que delatara fugazmente su conciencia cercada y condenada. Parecía, eso sí, un poco al acecho y en tensión, pero era más bien un efecto de sus hombros alzados y felinos. Dispuesto por fin a traspasar el umbral de nadie sabía qué, le dio un par de caladas al cigarrillo pero luego, inesperadamente, lo arrojó a la zanja, dio media vuelta y le vimos desaparecer al fondo del zaguán.

Dos días después, los obreros echaron paladas de tierra a la zanja y la cubrieron con las mismas gastadas baldosas, cargaron las herramientas y las vallas en una furgoneta y se fueron para siempre. Entonces advertimos algo que se nos había pasado por alto: durante todo el tiempo que la acera permaneció desventrada, mostrando las tuberías herrumbrosas y los cables despellejados, ningún olor especialmente tóxico se percibió en el entorno, como no fuera el suave tufillo a mierda de gato que exhalaba la tierra removida. Pero una vez cubierta la zanja y sus podridas entrañas, el olor a gas volvió a emponzoñar el aire frente al portal número 8, y no sólo allí; la fétida atmósfera parecía expandirse cada día más y más, y llegó un momento, acaso porque se te había pegado a las ropas y a la piel, que podías detectar el jodido olor en calles distantes de la plaza e incluso más lejos, en barriadas remotas.

3

También Forcat, después de permanecer unos días junto a su madre enferma, se iría de casa y del barrio y no volveríamos a verle hasta la primavera siguiente y en circunstancias aún más extrañas. Su partida fue tan discreta e inesperada como su llegada. Se comentó que nada le retenía aquí, salvo enterrar a su anciana madre cuando llegara el momento.

Poco tiempo después alguien dijo haberle visto fregando vasos detrás del mostrador de una taberna de la Barceloneta, propiedad de su otra hermana casada, pero eso parecía improbable porque llegaban otra vez cartas suyas desde Francia, según reveló el cartero en el bar, lo que suponía que había regresado nuevamente a Toulouse.

Más o menos por estas fechas, a primeros de año, los hermanos Chacón dejaron de frecuentar la plaza y ocasionalmente se les veía tirados en la acera frente al Colegio del Divino Maestro, en una esquina de la calle Escorial, exponiendo su mercancía de tebeos y novelas de segunda mano. Tres meses después, un sábado, los vi parados en el umbral de una tienda de legumbres cocidas de la calle Providencia. Barricas llenas de olorosas aceitunas invadían la acera y los Chacón las miraban y olfateaban con las manos en los bolsillos. Más sucios y desastrados que antes y más espigados, eran todo ojos y roña y parecían hallarse en tensión ante la presa. En la tienda, media docena de mujeres hacía cola para adquirir garbanzos y lentejas cocidas. Me acerqué a los Chacón por la espalda con ánimo de sorprenderles, pero al poner la mano en el hombro de Finito, éste se volvió hacia mí muy despacio con los ojos en blanco y, repentinamente sacudido por unos temblores muy fuertes, lanzó un grito y se desplomó sobre la acera, donde empezó a patalear y a soltar espumarajos verdes por la boca. Su hermano Juan se abalanzó a sujetarle la cabeza pidiendo ayuda y llorando. Se pararon algunos transeúntes, las mujeres salieron de la tienda y un corro de vecinos rodeó a los dos hermanos, pero nadie sabía qué hacer. De la garganta de Finito salían unos estertores espantosos que yo sólo había oído en el cine, su boca no paraba de segregar aquella espuma verde y asquerosa y las mujeres le compadecían y se lamentaban del abandono que sufren algunos niños, del hambre y la miseria de esos pobres charnegos que viven en barracas... Me quedé un rato paralizado por el estupor y el miedo, luego me invadió una gran tristeza al ver a mi amigo retorciéndose como si estuviera poseído por el demonio, y también me lancé al suelo para sujetarle y llamarle para que saliera de aquel pozo negro: «¡Serafín, Finito, qué te pasa!», y estaba abrazando sus piernas enloquecidas cuando, siempre sin dejar de aullar y babear, me guiñó el ojo, el muy cabrito...

Me incorporé y esperé a ver en qué paraba aquel truculento guirigay de gritos y aspavientos, aunque ya me lo figuraba. Asistido por Juan, que le apretaba la cabeza con ambas manos como para impedir que reventara, Finito se fue calmando y se arrastró de culo sobre la acera consiguiendo con grande y aparente esfuerzo recostar la espalda en la pared. Una de las vecinas, mientras le limpiaba la baba con un pañuelo, comentó que estos ataques de nervios se debían a la debilidad, al estómago vacío. «No comemos hace cinco días, señora», dijo Juan. Una abuela que vivía enfrente salió de casa con un bote de leche condensada y se lo dio a los famélicos cabileños. Cuando Finito se incorporaba trabajosamente, la vendedora de legumbres cocidas salió de la tienda con un cucurucho lleno de garbanzos humeantes, lo menos había dos kilos, se lo dio a Juan y dijo hala, iros a casa a comer. Juan solicitó mi ayuda y entre los dos sujetamos a Finito y nos largamos de allí en medio de los comentarios lastimeros de las vecinas.

Nada más doblar la esquina, Finito se enderezó sonriendo y me dio un coscorrón: «Eres un panoli», dijo. En este momento le odiaba y secretamente le envidiaba; en los tres meses que llevábamos sin vernos, él había aprendido artimañas para matar el hambre traficando con tebeos usados y fabricando espumarajos verdes con la boca, y en cambio yo no había aprendido nada salvo a jugar al billar. Sentados en un banco de la plaza del Norte, los Chacón dieron buena cuenta de los garbanzos calentitos, que yo rechacé, y con la punta de un cortaplumas hicieron dos agujeros en el bote de leche. Y mientras chupaban del bote, me explicaron el truco: antes de dejarse caer al suelo, Finito masticaba una pastilla verde de acuarela y se metía en la boca un puñado de sidral. El resto era la jeta que le echaba al asunto y sus dotes incipientes de embaucador. Me sentí idiota y engañado, rabioso por haberme dejado conmover por semejante patraña ideada por dos charnegos analfabetos y piojosos, y al verles allí riéndose de mí con la boca llena de garbanzos y de leche condensada, me largué sin decirles ni adiós.

Ignoraba entonces que otras mascaradas y patrañas, no tan inofensivas y mucho menos alimenticias, me aguardaban a la vuelta de la primavera y no lejos de allí, en la calle de las Camelias y en compañía del capitán Blay.

4

Mi madre trabajaba en las cocinas del Hospital de Sant Pau y no comía en casa. Se iba antes de que yo me levantara dejándome la comida hecha, arroz hervido casi siempre o judías con bacalao, a veces sobras que se traía del hospital, y por la noche regresaba tan agotada que se acostaba enseguida. Vivíamos en un tercer piso muy pequeño en lo alto de la calle Cerdeña, tocando la plaza Sanllehy. Cuando yo volvía a casa más tarde que ella, pues algunas noches me demoraba en los billares del bar Juventud, abría un poco la puerta de su dormitorio y miraba dentro, sin ver nada porque todo estaba oscuro, pero me quedaba allí junto a la puerta esperando oír algo: su respiración, su cuerpo moviéndose entre las sábanas, un crujido de la cama o una tos, una señal cualquiera que me indicara que mi madre ya estaba en casa y descansaba.

Fue precisamente pocos días antes de la llegada de Nandu Forcat y del asunto de la zanja cuando se me encomendó la delicada tarea de vigilar al testarudo y estrambótico capitán Blay. Nuestra vecina doña Conxa, la mujer del capitán, había sugerido a mi madre que mientras yo no tuviera nada mejor que hacer podía dedicar las mañanas a acompañar al viejo soplagaitas en sus correrías por el barrio.

—Irás con él y cuidarás que no le pase nada —me ordenó mi madre—. Mucho ojo con los tranvías y los coches, y con esa pandilla de trinxes que le hacen burla en la calle. Que no vaya muy lejos, no bajéis más allá de la Travesera de Gracia. ¡Y no le dejes quemar periódicos, por Dios, qué animalada es ésa!

La señora Conxa le daba al capitán algún dinero para sus vinitos, pero me advirtió que no le dejara entrar en todas las tabernas, sólo en las que le conocían, ni meterse en líos ni en discusiones de borrachos y sobre todo que no hablara de política con desconocidos, no fuera a soltar alguna impertinencia de las suyas y tuviéramos que ir a buscarle a la comisaría... Respondí a ambas, a la señora Conxa y a mi madre, que bueno, que haría lo que pudiera, pero pensaba: ¿quién es capaz de cerrarle la boca al viejo pirado, o de llevarle por donde él no quiera ir?

Los primeros días pasé mucho miedo. Durante casi tres años, el capitán no había caminado cien metros seguidos en línea recta ni había salido de su casa para nada, escondido a ratos en un pequeño cuarto de baño inutilizado al que accedía a través de un armario ropero sin fondo que ocultaba la puerta. Cuando por fin se decidió a salir a la calle había perdido treinta kilos de peso, una guerra y dos hijos, el respeto de su mujer y, según todas las apariencias, buena parte del poco seso que siempre tuvo. Nadie entre el vecindario le reconoció al principio, pues su miedo era tal que salía camuflado bajo un aparatoso disfraz de «peatón atropellado por un tranvía», según le gustaba presentarse a sí mismo en las tabernas: un convaleciente anónimo del vecino Hospital de Colonias Extranjeras de la calle de las Camelias que ha salido un rato a estirar las piernas y a beber un vinito, naturalmente con permiso del médico y la enfermera; y mostraba a los borrachines matutinos y pugnaces que le escuchaban estupefactos su pijama a rayas bajo la amplia gabardina, sus zapatillas de fieltro y la altiva y enfebrecida cabeza completamente vendada, un gran huevo de gasas y deshilachadas madejas de algodón rematado con un penacho de alborotados cabellos canosos. Las gafas negras dejó de usarlas poco después, cuando ya era popular en el barrio y yo empezaba a acompañarle en sus paseos. Me dijo el capitán que durante su largo encierro había soñado que al salir vería edificios en ruinas bajo una lluvia de ceniza, y también un tráfago de muebles y enseres y ataúdes, el expolio tras la derrota y en medio de una gran tormenta: rayos y truenos y puertas y ventanas abriéndose violentamente y el huracán estrellando gotas de sangre contra el empapelado de humildes dormitorios que podían verse desde la calle a través de los boquetes en las fachadas... Tenía la impresión de haber vuelto a una ciudad despoblada, abandonada a la peste o a los bombardeos, eso me dijo el primer día desde lo alto del Guinardó, plantado en la puerta de una bodega con la vista perdida al frente y la memoria arrasada.

Mi talante timorato, aprensivo y crédulo hizo que al principio me tragara todas las paridas del capitán, todas sus manías y extravagancias, pero poco a poco fui aprendiendo a lidiar al estrafalario personaje. Ahora, a cambio de estos servicios como guía y custodio, o tal vez porque doña Conxa se apiadó de mi madre al verla tan atrafagada, yo comía en casa del capitán tres días a la semana. Doña Conxa era una mujer rechoncha y pizpireta, de labios regordetes y largas pestañas untadas de rímel, mucho más joven que el capitán y de buen corazón. Los hermanos Chacón la llamaban la *Betibú*. Vivía con el viejo tarumba en el cuarto primera, encima de nuestro piso, pero durante mucho tiempo yo creí que vivía sola y del capitán Blay sólo conocía el nombre; aparentemente, la *Betibú* era viuda y no tenía otros medios de vida que las faenas de limpieza que hacía en algunas casas y sus primorosos encajes de bolillos, muy apreciados por las beatas de Las Ánimas y las señoras ricas de la barriada. También zurcía medias y cosía. Por alguna razón de antigua amistad y remoto parentesco que yo entonces ignoraba, mi madre le tenía mucho afecto, y cuando volvía de sus visitas al pueblo de los abuelos en el Penedès, con patatas y aceite y otras vituallas, siempre disponía una cestita para doña Conxa y me mandaba con ella a su piso: berenjenas, tomates y pimientos, alcachofas y nueces y a veces una butifarra. Y un día, hurgando en la cesta que le subía a la *Betibú*, al intentar coger una nuez, mi mano tropezó con dos caliqueños envueltos en un trozo de diario. ¡Ondia!, ¿es que la *Betibú* fuma caliqueños a escondidas?, le pregunté a mi madre, ¿o es que esos apestosos petardos son para alguno de los queridos que dicen que tiene, el sereno, el basurero...? Mi madre me miró severamente y meditó la respuesta: lo que llevas en esa cesta no es cosa que deba importarte, la señora Conxa es una buena mujer y desde que perdió al capitán y a sus dos hijos se encuentra muy sola... Merece respeto y ayuda, y los caliqueños son para ella, sí, todos tenemos algún pequeño vicio.

Mi madre mentía y no tardé en averiguar el porqué. Yo había estado varias veces en casa de la *Betibú*, pero nunca pasé del recibidor y aún no sabía que el difunto capitán Blay y el Hombre Invisible, aquel tipo desastrado que veíamos deambular por el barrio rodeado de un enjambre de chiquillos que le pedían a gritos «¡Desnúdate ya, Hombre Invisible, que nadie te verá!», eran la misma persona. Lo descubrí el día que mi madre me mandó a recoger unas medias que le zurcía doña Conxa y porque ésta, en vez de tenerme esperando en el recibidor como hacía siempre, me ordenó seguirla hasta el comedor y me hizo sentar mientras ella terminaba de repasar las medias. En el centro de la mesa cubierta con un hule se balanceaba la mitad de una sandía con un cuchillo clavado en su pulpa carmesí. La *Betibú* me dijo si quería una tajada y contesté que no —la otra mitad de la sandía me la había comido yo en casa—, y entonces me fijé en el vetusto armario ropero, negro y muy alto, arrimado a un ángulo del comedor. Parecía un tétrico confesionario como los de la Parroquia. Me pregunté qué pintaba un ropero allí en el comedor; aunque ya estaba acostumbrado a ciertas incongruencias en el uso y la disposición del mobiliario doméstico, pues mi madre y yo vivimos realquilados algún tiempo, con poco espacio y muchos trastos, la verdad es que nunca había visto un armatoste como aquél en sitio tan poco apropiado. Pensé que ocultaba tal vez una mancha de humedad o una grieta en la pared, y mientras pensaba en ello, súbitamente, las dos puertas del armario se abrieron con un chirrido, unas manos huesudas y renegridas apartaron los viejos abrigos y los apolillados trajes de difunto colgados en las perchas y, de una larga zancada, corvo y felino, con medio caliqueño apagado en los labios y su pijama a rayas y su larga gabardina marrón, pero sin vendajes en la cabeza, el capitán Blay se plantó ante mí impulsado desde su otro mundo ya devastado e irrecuperable, el de los hijos muertos y los ideales perdidos, el de la derrota y la locura.

—Su puta madre —dijo sin acritud, como si recordara algo de pronto.

5

Acosado constantemente por figuraciones y voces cuyo origen y significado yo aprendería a descifrar con el tiempo, el capitán permaneció un instante junto al armario con el espinazo doblado y la pupila alertada, tenso y diabólico, escuchando tal vez el eco del disparo retumbando en la otra orilla del Ebro y viendo a su hijo Oriol caer nuevamente entre las patas del caballo con la mochila y el fusil a la espalda, los prismáticos de campaña balanceándose colgados de su cuello...

Me miró sin verme. Su mujer no le hizo el menor caso, absorta en el zurcido de las medias. Con el pesado capote sobre los hombros, el capitán se irguió trabajosamente en medio de la espesa niebla que subía del río. Las puertas del viejo ropero, por dentro, estaban forradas de estampitas con oraciones y versos piadosos.

—Voy a salir a la calle, Conxa —anunció en un tono tan bajo que parecía renunciar de antemano a ser oído. Y mientras revolvía vendas y algodón usado en un cajón del armario, con la voz aún más inaudible pero sin tristeza añadió—: ¿Dónde crees que lo habrán enterrado?

Su mujer no contestó ni le miró.

—Por lo menos —añadió él— podrían devolvernos sus prismáticos. Eran muy buenos.

—Vols parlar com Déu mana, brètol? —dijo la *Betibú*.

—Dios ya no manda nada, Conxa. Ahora mandan éstos.

Me miró como si acabara de verme por primera vez y dijo: «¿Y tú quién eres, chico?», y empezó a vendarse la cabeza girando sobre los talones como una peonza, y volvió a verse a sí mismo gesticulando rabioso mientras se ceñía otra venda igual de vertiginosa, larga y sucia, en la frente ensangrentada: se sobresaltó, su cabeza herida debió rozar la lona de la fantasmal tienda de campaña plantada junto al río y se agachó justo a tiempo de ver a Oriol caer abatido de un balazo por enésima vez. Alguien sollozaba siempre a su espalda, tendido en una camilla, quizá su otro hijo de diecisiete años que regresó del Ebro enfermo del tifus. El capitán blasfemó y le ordenó callarse:

—Prou, nen! Calla!

El soldado quería morir en su casa, pero se calló al fin, y el capitán lo miró compasivamente de reojo:

—Así me gusta —dijo—. Muérete como un pajarillo. Aquí o en casa, qué más da, hijo; pero muere como un pajarillo. No seas tonto.

—Què dius? —gruñó su mujer.

—No hablo contigo —dijo él, y su cabeza febril volvió a chocar contra un cable de la tienda al salir y adentrarse en la niebla—. El mes pasado, dos balas perdidas silbaron sobre el río. Una para Oriol y otra para mi cabeza. La mala puta me llegó al cerebro, pero cuando entró yo no estaba pensando en nada importante. Así que voy a salir a dar una vuelta.

Ella cabeceó con su redonda faz de porcelana enmarcada en rizos negros y brillantes y frunció la boca respingona, más roja que el corazón de la sandía. Tampoco ahora lo miró y es probable que no le oyera, pues era muy sorda, pero sabía que él estaba allí a su lado urdiendo alguna insensatez. Desde siempre lo llamaba no por el nombre, sino por el apellido:

—Blay, ets un cap de cony —dijo en su catalán ostentosamente percutente y vindicativo—. Estàs boig.

34

—Reina, voy a salir —anunció el capitán—. Y creo que a la vuelta, si paso por Las Ánimas, me comeré un cura. —Observó el efecto de sus palabras en la cara de ella y añadió—: Si es verdad que soy un rojo bolchevique sediento de sangre y un masón degenerado, debo comportarme como tal. ¿No crees, bonita?

Doña Conxa siguió increpándole en catalán, la lengua que siempre habían hablado ambos. Más adelante mi madre me contó que un día, años atrás, mientras el capitán discutía con su mujer, naturalmente en catalán, sufrió un ataque cerebral y se quedó repentinamente sin habla, cayendo al suelo; y que al volver en sí mucho rato después, sufría doble visión y además empezó a hablar en castellano sin que él mismo supiera explicar el porqué y al parecer sin poder evitarlo, por más que lo intentara. Y que desde entonces hablaba en esa lengua, aunque doña Conxa, tanto si le oía como si no, le contestaba siempre en catalán.

—Ja n'ets prou de ruc, ja.

—He dicho que voy a salir y salgo —insistió el capitán con una voz que ahora ella podía oír perfectamente—. Estoy más delgado, más zarrapastroso y más feo, nadie me reconocerá. Me he convertido en una alimaña al servicio de Moscú, lo admito, pero vestido de peatón atropellado por un tranvía pasaré inadvertido.

—A mi em parles en català! Cantamañanas! Capsigrany!

El capitán se abrochó la gabardina tranquilamente.

—Hasta luego, gatita. Volveré pronto.

—On vas ara, desgraciat? Ruc, més que ruc!

No sé si el capitán llegó a salir a la calle ese día, porque me anticipé a su intención. Doña Conxa había terminado de zurcir las medias y las volvió del revés en un visto y no visto con sus manos gordezuelas y rapidísimas, las enrolló y me las entregó, y yo escapé corriendo.

A mediados de marzo los Chacón trasladaron su tenderete de almanaques descosidos y maltrechas novelas del Oeste a una esquina de la calle de las Camelias, junto a la verja del jardín de Susana Franch, que llevaba año y medio en cama enferma de tuberculosis. Susana tenía quince años y era hija del Kim. La habíamos tratado poco, sabíamos que durante algún tiempo frecuentó Las Ánimas haciendo amistad con las chicas de la Casa de Familia, y cuando nos enteramos que había tenido vómitos de sangre y estaba tísica, no podíamos creerlo: precisamente ella, que parecía una chica tan saludable y tan alegre, y viviendo en aquella bonita torre con jardín, y con el dinero que dicen que su padre había tenido. Pero su madre, según doña Conxa, al quedarse sola con la niña fue de mal en peor y tuvo que vender sus joyas y ponerse a trabajar; ahora hacía turnos de tarde como taquillera del cine Mundial, en la calle Salmerón, y para redondear una magra semanada hacía también encaje de bolillos por encargo de la mujer del capitán. Aun así debía pasar apuros, y más ahora con la niña tuberculosa; se decía que su marido ya no le enviaba dinero desde Francia, y que seguramente ella no ponía reparos en aceptar de los hombres cierto tipo de ayuditas... Estos rumores sobre sus devaneos amorosos indignaban a la *Betibú* —ella tampoco se libraría nunca de la maledicencia—, que siempre sostuvo que no eran más que infundios de cuatro beatas de la Parroquia.

Susana se pasaba el día en la cama instalada en la galería lateral y semicircular que daba al jardín, y que parecía la estancia más alegre y soleada de la torre; desde la calle se la podía ver recostada entre muchos almohadones y rodeada de efluvios aromáticos que humedecían la atmósfera y emborronaban la vidriera, con su camisón lila o rosa y el pelo negro suelto sobre los hombros, entretenida en pintarse las uñas con esmalte nacarado o rojo cereza y leyendo revistas, a menudo escuchando la radio y recortando anuncios de películas en los periódicos con unas tijeras. En un rincón de la galería humeaba constantemente una olla con agua y hojas de eucalipto sobre una aparatosa estufa de hierro que ardía con carbón, y cuyo retorcido tiro, como un siniestro garabato negro, se encaramaba casi hasta el techo y salía al exterior por un agujero perfectamente redondo practicado en la vidriera.

Reproché a los Chacón que hubiesen escogido aquella esquina de Camelias para espiar a Susana en la cama, y Finito dijo por quién me tomas, chaval, de eso nada, ¿no sabes que la pobre se va a morir pronto? Y que tampoco había elegido el sitio porque él y su hermano esperasen ver llegar algún día a su padre, al Kim, sino por algo menos emocionante pero más urgente: sencillamente por estar cerca del Mercadillo instalado en la misma calle, un poco más allá de la torre de Susana y en la acera opuesta, arrimado al largo muro del campo de fútbol del Europa. Había un colegio cerca y por lo tanto pasaban niños, y además los dos hermanos se turnaban para merodear de vez en cuando entre los puestos de frutas y verduras por si casualmente caía algún trabajito, acarrear cajas o limpiar la zona de desperdicios o llevar algún encargo. Y si no conseguían nada, Finito se tiraba al suelo sacudido por uno de sus formidables ataques epilépticos. Lo hacía de forma tan convincente que siempre, a pesar de conocerme el truco, la visión de sus revolcones y sus temblores y espasmos, con los ojos de ahogado y los espumarajos verdes en la boca, me causaba gran espanto. Había una churrería en la esquina de Cerdeña y casi nunca faltaba un alma caritativa que se compadecía del pobre cabileño y le compraba una bolsa de buñuelos, y alguna de las vendedoras del Mercadillo siempre le daba un par de manzanas o de plátanos.

Desde su tenderete junto a la verja, Juan y Finito habían establecido con la niña enferma una relación muda y afectiva, un código risueño de señales y referencias, y a menudo le prestaban tebeos y novelitas y la proveían de hojas de eucalipto para la olla. La madre de Susana solía aparecer en el jardín para enviar a uno de ellos al Mercadillo a comprar fruta, o al carbonero o al panadero, y cuando por la tarde se iba al cine les pedía que vigilaran para que no entrara nadie en el jardín. Algunas veces me paré a hojear novelas en el tenderete y podía ver a Susana levantarse de la cama y saludar a sus guardianes desde el otro lado de los cristales con una sonrisa triste y agitando la mano.

Un atardecer inhóspito que pasé por la calle de las Camelias cuando los Chacón ya se habían ido, seguramente atosigados por el frío y la neblina que invadía la calle y desdibujaba el jardín y la torre, me pareció ver una mancha rosada girando como una peonza detrás de la vidriera, junto a la cama, y era la niña tísica que bailaba abrazada a su almohada. Fue sólo un momento, enseguida se dejó caer de espaldas sobre el lecho, luego se incorporó y vi con claridad su mano limpiando el vaho del cristal y seguidamente su cara pegada a él, pálida y remota, mirándome como si flotara en el interior de una burbuja. Pero creo que no me vio, porque agité mi mano y no respondió al saludo, y la cálida atmósfera de la galería no tardó en empañar nuevamente el cristal hasta emborronar su rostro.

CAPÍTULO SEGUNDO

1

Poco antes de volverse completamente loco, el capitán Blay me pidió que dibujara a Susana en su lecho de tísica con mis lápices de colores. El capitán necesitaba un dibujo de esa niña enferma para un asunto de suma importancia. Ya había hablado con su madre, la señora Anita, dijo, y estaba conforme.

—¿Podrías dibujarla sin tener que ir a su casa? ¿Dibujarla de memoria? —me preguntó el capitán.

—Yo no sé dibujar de memoria.

—Lo decía por si te da miedo contagiarte...

—¡Pues claro que no! ¡Ningún miedo!

—Entonces debes ir cuanto antes. Creo que no tardará en morir.

Iba el capitán muy estirado ese día, con la cabeza vendada y la gabardina abierta dejando ver el pijama. Me llevó a una papelería de la calle Providencia, me compró seis hojas de papel de barba y me explicó para qué quería el dibujo. Había decidido poner todo su empeño en recoger firmas entre el vecindario para un documento que estaba redactando y que pensaba presentar al Ayuntamiento denunciando la criminal fuga de gas de la plaza Rovira que amenazaba con envenenarnos a todos, y que ya estaba matando a los enfermos del pecho como la pobre Susana... Pero eso no era todo, me dijo: además de esa tufarada tóxica, a la que la gente más aborregada y ciega parecía haberse acostumbrado, había otra no menos degradante y perniciosa: la chimenea de la fábrica de plexiglás y celuloide, en la esquina de la calle Cerdeña. Era una chimenea de ladrillo rojo cuya altura no alcanzaba el mínimo que marca la ley, según el capitán, y que soltaba día y noche un pestilente humo negro que no conseguía elevarse y que tiznaba el barrio entero. Se había cansado de enviar al director de la fábrica Dolç, S. A. montones de cartas pidiendo que alargaran la chimenea, sin obtener nunca respuesta, así que ahora estaba decidido a pasar al ataque: recogería firmas de los ciudadanos no sólo para combatir el olor a gas, sino también contra la chimenea. Tenía que ser una carta de denuncia contundente y apabullante, dijo, avalada por quinientas firmas como mínimo. Ya tenía las de Susana y su madre. La firma de la niña era importantísima y un testimonio de primer orden, añadió el capitán, porque la infeliz tiene los pulmones deshechos y necesita aire puro, y ese humo irrespirable está agravando su estado.

Yo conocía muy bien la chimenea y el patio trasero de la fábrica Dolç, con Finito y su hermano habíamos saltado muchas veces la tapia del almacén para coger del suelo trozos de cinturón de plexiglás que parecían serpientes de colores, peces y patitos de celuloide y pelotas de ping-pong con algún defecto de fabricación. Pero ya hacía de eso tres o cuatro años.

—Y además de la denuncia por escrito —insistió el capitán—, quiero presentar a estos mamones del Ayuntamiento algo más, y ahí es donde tú puedes ayudar. Tu madre me ha dicho que dibujas muy bien... Como sabes, la chimenea se alza detrás del jardín de esta pobre chica enferma, y todas las mañanas, al despertarse, un penacho de mierda negra le da los buenos días. He pensado que, junto con las firmas, para darle más fuerza a la cosa, un buen dibujo de Susanita agonizando en la cama y con la chimenea cerca echándole ese humo emponzoñado valdría más que todas las palabras...

—¡Hala, capitán! ¿Quién está agonizando aquí?

—A ver si me entiendes, artista. ¡Hay que actuar con astucia! Tú me pintas a la niña tísica muy pálida y demacrada, muy triste, con esa frente suya que parece de porcelana, estirada en la cama y con los ojitos cerrados y la mano en el pecho, respirando con dificultad, así, mira...

—¿Usted la ha visto? —le dije.

—Ayer le hice una visita con mi mujer.

—¿Todavía vomita sangre?

—Delante de mí, no.

—Doña Conxa dice que la está curando con la flor del saúco, con friegas en el pecho y en la espalda.

—Mentira podrida. La flor del saúco cocida en agua solamente cura las almorranas de obispos y maricones, es cosa sabida. Y no me interrumpas, que el encargo que te hago es muy importante —gruñó el capitán cruzando la calle Martí—. Recuerda: tiene que ser un dibujo conmovedor, de hacer llorar. Y se tiene que ver el humo amenazador flotando sobre la enferma en su lecho de muerte, como una nube negra y fatal, y la chimenea roja como un peligro descomunal y monstruoso, como una maldición...

—¿Y Susana se dejará dibujar?

—Su madre me dijo que la tenía casi convencida. —El capitán sacó del bolsillo de la gabardina un caliqueño retorcido—. Mañana por la mañana irás a su casa de parte mía y podrás empezar enseguida. Si necesitas más papel me lo dices. Lápices de colores ya tienes, supongo.

—¿Lo quiere en color?

—Claro. ¿Cuándo lo tendrás terminado?

—Huy, no sé. Soy muy lento, me cuesta mucho.

—Con tal que el dibujo sea bueno... ¡Venga, chico, anímate! ¡A ver si te luces! ¡Vamos a joder a estos oligarcas del humo venenoso y del gas mortífero!

En la plaza se sentó un momento en un banco de piedra y partió el caliqueño en dos con un cortaplumas. Se guardó la mitad y encendió la otra mitad con una cerilla, protegiendo la llama con las manos sarmentosas y de espaldas a la acera del escape de gas. «Por si acaso», masculló. Las vendas ribeteadas de un hilo rojo que envolvían su cabeza estaban sucias; lo menos hacía dos semanas que no se las cambiaba, tal vez dormía con ellas. Los guantes de piel color tabaco con pespunte blanco, que hoy llevaba sujetos al cinturón de la gabardina, lucían en cambio impecables. De pronto el capitán se levantó del banco con aire despistado. Tanto tiempo camuflado de anónimo peatón arrollado por un tranvía, se me ocurrió que podría estar olvidando los rasgos de su propia cara.

—Vámonos a casa a sacar punta a los lápices —propuso—. ¡Rápido!

—¿No quería usted ir al bar?

—Y otra cosa: mañana, cuando vayas a la torre, llévale a Susana alguno de tus dibujos para que vea que eres un artista. ¡Andando, hay mucho que hacer!

Aquella noche no dormí pensando en la muchacha tísica y toda clase de temores y aprensiones me asaltaron. Oía su tos cavernosa podrida de microbios y la veía escupiendo furtivamente una saliva rosada en el pañuelo, un precioso pañuelo de batista que enseguida escondía debajo de la almohada. Imaginé también, ya de madrugada y flotando en una especie de duermevela, y con una intensidad y una precisión que nunca antes había gozado en mis delirios eróticos, sus pechos blancos como la nieve entre sábanas blancas y sus febriles muslos de leche cubiertos de una fina película de sudor y agitándose inquietos en el sueño.

2

Al día siguiente por la mañana me encaminé a la calle de las Camelias con mi carpeta de dibujos bajo el brazo. De sólo pensar en la niña tuberculosa me sentía abatido y febril y como si me faltara aire, ya vagamente contagiado. Más allá y por encima de la torre de Susana, el humo de la chimenea que tanto odiaba Blay no subía recto al cielo, sino que se derramaba como una baba negra alrededor de su boca y quedaba suspendido un buen rato en una ebullición repulsiva para luego ir desflecándose y caer sobre los tejados y los jardines próximos.

Encontré a los Chacón exponiendo su sobada mercancía sobre la acera, junto a la verja del jardín de Susana, y me entretuve un rato hojeando novelas de Edgar Wallace de la Colección Misterio. Había tres niños revolviendo el montón de maltrechos tebeos. El Mercadillo estaba a menos de cincuenta metros y algunas mujeres que venían a la compra con sus pequeños dejaban a éstos en el tenderete entretenidos en curiosear. A través del jardín vi a Susana detrás de los cristales de la galería, recostada en la cama con una toquilla azul sobre los hombros. Tenía los ojos cerrados y la cabeza echada hacia atrás, pero no dormía ni parecía sufrir porque movía acompasadamente el brazo derecho, como si siguiera el ritmo de una música, sin duda de la radio.

Anuncié a Finito y a Juan que iba a hacerle un retrato a Susana por encargo del capitán, y primero no querían creerme y luego se sintieron recelosos y casi dolidos. Comprendí hasta qué punto los dos hermanos se consideraban guardianes exclusivos de la niña enferma y responsables de todo lo que pudiera pasar en torno al jardín y la torre.

—Está bien. Pero mucho cuidado, chaval —me previno Finito—. Si ves que se cansa, o que de golpe se queda triste, así como en babia, pensando en Dios sabe qué, debes irte enseguida. —Y sacó del bolsillo media docena de horquillas para el pelo—. Dale esto de mi parte. Y este almanaque de Rip Kirby que parece nuevo de trinca.

—¿La has visto de cerca, has estado con ella? —le pregunté.

—A veces. Cuando está sola.

Cada tarde, incluidos domingos y festivos, me explicó Finito, la madre de Susana salía de casa a las tres y media para acudir al trabajo y no regresaba hasta las ocho por lo menos; siempre les pedía por favor que si venía alguien cogieran el recado. La señora Anita quería que su hija se levantara de la cama lo menos posible. La primera vez que Susana les abrió la puerta de la galería que daba al jardín fue porque ella misma los llamó; se había apagado la estufa, había que traer carbón del cobertizo y ellos lo hicieron. A veces acudían porque ella les pedía un tebeo para leer u hojas de eucalipto para la olla que hervía sobre la estufa, porque la mareaban las flores de un jarrón o simplemente porque se aburría de estar sola.

—Así que pórtate bien con Susanita o lo pagarás caro —concluyó Finito abriendo la verja y franqueándome el paso—. Ya puedes entrar, capullo.

Mientras me adentraba por el pequeño y descuidado jardín, donde las matas de adelfas languidecían a la sombra del sauce y las húmedas rinconadas de lirios se pudrían faltas de sol, me pregunté cómo estos dos charnegos muertos de hambre habían podido adquirir aquella extraña autoridad al hablar de la tísica. Y una vez más me dije que, aunque apenas habían transcurrido cuatro meses desde los días infectados de gas en que solíamos juntarnos en el bar Comulada y en los billares del Juventud, era como si hubiesen pasado años.

3

La señora Anita me recibió con una bata de seda malva ribeteada de marabú ya sin lustre ni vigor, una toalla al hombro y un vaso de vino en la mano. Era de un pueblo de Almería cuyo nombre oí pronunciar por vez primera en boca del capitán Blay: Cuevas de Almanzora. Mantuvo la puerta abierta y me miró con un leve extravío en sus bonitos ojos de cielo velados por una tristeza. Tenía unos treinta y ocho años, el pelo rubio rizado y revuelto, un cuerpo menudo y vivaz y las pupilas más azules que yo jamás había visto. Su rostro fatigado, con los párpados grávidos y la boca despintada, reflejaba una dulzura inerme y agraviada.

—Vengo de parte del capitán Blay —dije—. Por el dibujo...

Me miró un rato como si no entendiera. Luego sonrió:

—Ah, sí. Pasa. Pero me parece que Susana aún no se ha decidido. Esta hija mía es un poco lunática, ¿sabes?

—Si quiere vuelvo otro día.

—No, no, pasa. —Tiró de mi brazo y cerró la puerta—. No se lo digas al pobre Blay, pero la verdad es que me parece una solemne tontería lo que se propone... Pero bueno, será un entretenimiento para la niña, tendrá compañía por las tardes, cuando yo no estoy. ¿Cómo te llamas, guapo?

—Daniel.

—Daniel. Qué nombre más bonito. Mi Susana se habría llamado igual de haber sido un chico... ¡Daniel y los leones! Siempre me gustó. Bueno, sigue por este pasillo hasta el comedor, a la izquierda está la galería. —Alzando la voz y dirigiéndola al fondo del pasillo añadió—: ¡Cariño, es el chico del dibujo!

No hubo respuesta y yo no me moví. La música de la radio cesó.

—Anda, ven. —La señora Anita se colgó de mi brazo y me llevó—. Y no le hagas mucho caso si te pone mala cara. En realidad te estaba esperando.

Me acompañó un trecho, hasta el umbral de un dormitorio que supuse era el suyo, y me animó con una sonrisa a seguir yo solo hasta la galería. Por dentro, la torre no era tan grande como parecía vista desde fuera. Pero ya en esta primera visita, el corredor en penumbra me confundió: parecía interminable, tan largo que me produjo la extraña sensación, mientras avanzaba por él, de estar rebasando los límites de la torre y de adentrarme en otro ámbito. Caminaba bajo un techo alto de estucados roídos por una lepra y había en las paredes cuadros antiguos en artísticos marcos, espejos modernistas con nubes ciegas y por doquier figuras de mármol y de porcelana en pedestales, algunas descalabradas y acumulando polvo; capté el olor rancio de los muebles y recordé que los padres de Susana habían sido ricos. Los pesados muebles de caoba tenían un aire de armatostes inamovibles, rencorosos y de algún modo peligrosos; parecían los mudos testigos de un drama que hubiese tenido lugar aquí años atrás, y del cual ni Susana ni su madre se hubiesen aún repuesto. Me llegó también, según me acercaba a la galería, el aroma a eucalipto y la humedad cálida y enfermiza del ambiente: una densidad del aire y un olor que no había respirado en ninguna casa y que me produjo una mezcla de excitación y de aprensión. Decidí mantenerme a prudente distancia de la cama de la enferma. Cruzando el comedor vi una garrafa de vino destapada sobre la mesa, y enseguida, al asomar la cabeza a la galería, oí su voz:

—Pasa. ¡Deprisa, hombre, antes de que venga mamá!

La olla humeaba sobre la estufa y el sol pálido penetraba en la galería como en un acuario, bañando la pequeña cama de cabecera metálica arrimada a la pared y la mesilla de noche con un aparato de radio que era una reliquia. En el otro extremo había una mesa camilla, dos sillas y una mecedora blanca. En una de las sillas, de pie y apoyado contra la pared, un cojín con encaje de bolillos a medio hacer.

Me sorprendió encontrar a la niña tísica sentada al borde de la cama con la espalda muy erguida, las piernas cruzadas y el camisón subido hasta las rodillas, descalza y con una margarita de trapo en el pelo, los brazos en jarras y la toquilla sobre los hombros. Mantenía la postura con algún esfuerzo y me miraba con ojos confiados y desafiantes, como exigiendo mi aprobación. Yo no podía entonces adivinar que esa rebuscada postura y ese encanto improvisado era el resultado de horas de meditación y de ensayos frente al espejo: se mostraba así porque había decidido que yo la dibujara así, y esa aura de ansiedad que irradiaba su expresión, esas desesperadas ganas de gustar, la pulsión animal que flotaba en los aledaños de sus labios pálidos y secos y en las finas aletas de su nariz era tan intensa y directa que me pareció la muchacha más hermosa que había visto nunca. Su pelo negro enmarcaba una frente translúcida, brillante de sudor, y sus mejillas lucían pequeños rosetones a fuerza de pellizcos, como no tardaría en saber. Tenía el labio superior muy dibujado y grueso y un poco replegado hacia la nariz, por lo que parecía más ancho y carnoso que el inferior y le daba a su boca un aire enfurruñado, infantil y turbador a la vez. No mostraba ojeras ni las mejillas chupadas ni el pecho

47

hundido, no estaba excesivamente pálida ni respiraba con la boca abierta ni nada de eso; no se parecía en absoluto a la muchacha tísica que había imaginado y que nada más verla, sólo con respirar a su lado, podía contagiarme sus humores envenenados y su febril ensoñación en torno a la muerte. Junto a ella, sobre el lecho, había fotos recortadas de revistas y diarios, unas tijeras, un frasco de agua de colonia, una baraja y un gato negro de felpa con ojos verdes de vidrio, sobre cuya cabeza la enferma apoyaba la mano.

—Yo te conozco —dijo—. Te llamas Daniel.

—Sí.

—Eres el chico que descubrió un gran escape de gas en la plaza Rovira.

—Lo descubrió el capitán Blay.

—Y vives en la calle Cerdeña.

—Sí.

—Y no tienes padre. —Bajó el tono y añadió—: ¿Verdad?

En su voz anidaba una somnolencia que a ratos se enredaba en una flema adherida a sus cuerdas vocales; pensé que tendría mucha fiebre, y que su voz transmitía de algún modo esa fiebre y esa flema contaminada.

—¿Verdad que no tienes? —volvió a decir.

—No lo sé.

—¡¿No sabes si tienes padre o no?! ¡Pues chico, estás tú bien! ¿Eres tonto o qué?

Observé sus uñas cuidadas, pintadas con esmalte rojo cereza.

—Nunca volvió de la guerra —dije—. Pero no sabemos si lo mataron, nadie lo sabe. Podría estar vivo en alguna parte, con la memoria extraviada o malherida, quiero decir, sin acordarse de su familia ni de nada, y no saber volver a casa... Así que no puedo decir que no tengo padre.

Susana me miró con curiosidad y luego dijo:

—Pues como si no lo tuvieras. Lo mismo que yo. —Sacó su pañuelo de debajo de la almohada, lo empapó en agua de colonia del frasco que tenía a mano y se mojó las sienes y el cuello. El pañuelo era de una blancura impoluta. Ahora me miraba con recelo y añadió—: Tú eres un poco rarito, ¿verdad?

—¿Yo? ¿Por qué? —Me encogí de hombros.

Sin apartar sus ojos de mí, ella parecía reflexionar. Luego habló enfurruñada:

—¿No te han dicho que estoy muy enferma y que no debes acercarte mucho, niño?

—Sí.

—¿Y sabes lo que tengo?

Tardé un poco en responder:

—Tienes los pulmones enfermos.

—No señor. Los pulmones no. El pulmón. Sólo uno. ¿Y sabes cuál?

—No.

—El izquierdo.

Permaneció callada un rato y sin dejar de escrutar mi cara. Había en su mirada una rebuscada malicia y una voluntariosa crispación que se imponía al mandato de la fiebre y a los agobios de la sangre y que muchas veces, a lo largo de nuestra relación, llegaría a turbarme más que la idea misma del contagio. De pronto pareció muy fatigada, cerró los ojos y suspiró lenta y cuidadosamente, como si temiera hacerse daño. Entonces dije:

—Finito me dio esto para ti. —Y le entregué las horquillas y el almanaque de Rip Kirby, al que no dedicó ni una mirada. Escogió dos horquillas y mientras se las ponía, recogiendo el pelo sobre la nuca y las pálidas orejas, observé en la mesilla de noche la foto de su padre en un marco de plata: el Kim con un abrigo claro de solapas alzadas, de medio perfil, el ala del sombrero tapándole un ojo y la sonrisa ladeada. En sus ojos sombríos anidaba una luz socarrona, el chispazo de la aventura.

—¿Es verdad que sabes dibujar? —dijo Susana.

—Un poco.

Abrí la carpeta y le enseñé los dibujos que había escogido, uno de un almendro en flor, una bruma rosada copiada del natural en el Baix Penedès, y dos del parque Güell que a mí me gustaban mucho por su colorido; uno del dragón de cerámica de la escalera y otro del banco ondulante de la plaza con la silueta de Barcelona al fondo. No le entusiasmaron, y le mostré una lámina que llevaba de reserva: Gene Tierney con un vestido verde muy ceñido y sentada sobre el mostrador de un casino, insinuante y despeinada, el humo del cigarrillo enroscado en su cara. La había copiado del programa de mano de una película y estaba regular el dibujo, no tenía mérito, ni siquiera se parecía mucho, pero fue el que más le gustó.

—Éste está muy bien. Qué guapa. —Me devolvió la carpeta, se quitó las horquillas y se soltó nuevamente el pelo, descruzó las rodillas y volvió a cruzarlas y añadió bajando la voz—: ¿Mamá sigue en el baño?

—No lo sé.

—Tenemos que darnos prisa. Si me ve fuera de la cama le da el ataque. —Humedeció sus labios con la lengua, los mordisqueó, se pellizcó las mejillas—. Ahora mírame. ¿Qué tal?

No supe qué contestar. De pronto parecía una pepona. Insistió:

—¿Estoy bien así?

—No te entiendo.

—Así como estoy, sentada en la cama. Quiero que me dibujes así, como si ya estuviera curada y a punto de salir a la calle, con colores en las mejillas y zapatos y un vestido verde que todavía no puedo ponerme pero que un día te enseñaré. Nada de camisón y toquilla de lana, nada de lo que ves. Debería tener algo en las manos... un espejo, o un bolso muy bonito que me regaló papá. ¿Qué te parece, sabrás hacerlo?

Le dije que eso no era lo convenido con el capitán Blay y que yo tenía instrucciones de dibujarla postrada en la cama, muy pálida y respirando el humo tóxico de la chimenea de la fábrica...

—¡Y con grandes ojeras y la cara chupada y hecha una birria, vamos! —me cortó otra vez enfurruñada—. Una pobre tísica a punto de diñarla. ¡Pues no!

—Tampoco es eso —dije para animarla—: Se te ve casi curada. Vaya, estupendamente. Pero el capitán quiere que en el dibujo se te vea de otra manera...

—¡Sé muy bien lo que quiere el viejo locatis!

Estaba muy contrariada y descompuso la estudiada postura, creyó oír los pasos de su madre y se metió apresuradamente en la cama, la espalda apoyada en los almohadones y estirando las sábanas y el edredón celeste hasta su pecho. Pero su madre no apareció.

—Pues así no quiero que me dibujes —añadió sin mirarme—. Metida en la cama y tosiendo como una pánfila, no.

—Bueno, podrías estar echada encima, como si descansaras... No te sacaré muy pálida, vaya, lo menos posible. Y puedes llevar una flor en el pelo, si quieres. Si el dibujo fuera para ti, lo haría a tu gusto.

Susana movió la cabeza despacio y me miró con curiosidad.

—Es que no lo quiero para mí. —Reflexionó unos segundos y volvió a animarse—. Está bien, haremos una cosa. Dejaré que me dibujes para el capitán así, como una niña tòtila rodeada de medicinas; pero con una condición: me harás otro dibujo en la postura que yo te diré, vestida y peinada como yo te diré, en colores y de lo más bonito. El retrato de una chica más alegre y más guapa, un retrato en el que se me ha de ver tal como seré dentro de muy poco, de unos meses...

—El dibujo para el capitán también será bonito, ya verás.

—Ése no me importa. —Cogió el gato de felpa y lo apretó contra su pecho—. Puedes dibujarme fea y esmirriada y con la cara blanca como la cera y los ojos colorados de fiebre, y hasta escupiendo sangre, me da igual. Pero el otro sí me importa, porque es para mandárselo a mi padre y no quiero que me vea enferma y birriosa. ¿Entiendes?

—Sí.

—Será un regalo sorpresa para él, ¿entiendes?

—Que sí, que sí.

—Entonces, ¿lo harás?

—Espero que me salga bien...

—¡Pues claro! ¡Te quedará precioso!

—¿Y de fondo ponemos también la chimenea y el humo que te envenena, como en el dibujo para el capitán Blay?

Se encogió de hombros.

—Me da igual. No tiene nada que ver conmigo ni puede afectarme, ni ese asqueroso humo ni el olor a gas ni nada de nada de lo que pasa por ahí... Nada.

—¿Por qué lo dices?

Sus ojos brillantes me miraban fijamente, pero no parecían verme.

—Porque muy pronto me iré lejos de aquí —dijo con una sonrisa maliciosa—. Por eso, niño.

4

El dibujo que había de ser tendenciosamente conmovedor y que había de salvar milagrosamente a la niña tuberculosa y al barrio entero de una muerte lenta y segura, lo empecé muy ilusionado un lunes por la tarde, y ese día nada me salió bien. Ni un solo trazo, machacado una y mil veces, estaba en su sitio. Miraba mucho a la enferma entornando los ojos para medir y apresar la desfallecida armonía de su cuerpo frágil y aviesamente postrado entre cojines y vapores de eucalipto —burlándose de mi artificiosa puesta en escena, ella se contorsionaba y exageraba la postura estilo dama de las camelias muriéndose derrengada con medio cuerpo y una pierna colgando fuera de la cama—, pero lo que salía del lápiz era de pena. Por no malgastar papel de barba, torturaba esbozos en un cuaderno escolar. Renuncié momentáneamente a la figura para dedicarme a la vidriera de la galería, a la estufa y a la fatídica chimenea, que en realidad no veía desde donde yo estaba, y el resultado fue el mismo. Había un problema de perspectiva que no era capaz de resolver.

—Ya te dije que si me sacabas así de pánfila y carcomida, con el pecho hundido y ojos de besugo, te saldría una birria de dibujo —dijo Susana cogiendo la baraja de la mesilla—. ¿Por qué no empiezas el otro?

—Primero éste. El capitán me lo pidió antes que tú.

—Déjalo ya, anda. —Desplegó la baraja ante su cara como si fuera un abanico y dejó asomar los ojos risueños—. ¿Jugamos al siete y medio?

Solté el lápiz como si quemara y suspiré aliviado.

—Vale.

El segundo día tampoco avancé mucho. A media tarde se puso a llover y vimos a los Chacón en la calle recoger apresuradamente su tenderete y meterse corriendo en el jardín para refugiarse bajo el sauce. Susana los llamó y entraron por la pequeña puerta de un extremo de la galería. Finito traía los bolsillos rebosantes de hojas de eucalipto y con sus manos roñosas las troceó y las echó a la olla, después sacó un pedazo de peine y lo pasó varias veces por su pelo amazacotado y grasiento, negrísimo. Susana lo mandó junto con su hermano al cuarto de baño a lavarse las manos y cuando volvieron propuso unas partidas de parchís y nos sentamos los tres en la cama. Yo daba la espalda a la mesilla

53

de noche y al retrato del Kim y sentía en la nuca sus ojos penetrantes. Mareaba mi dado con el cubilete buscando la suerte y movía astutamente mis fichas amarillas, pero no pude evitar que los hermanos Chacón me las mataran una tras otra varias veces, y tampoco pude quitarme de la cabeza en toda la tarde al legendario pistolero ni el sombrío fulgor de su mirada clavada en mi nuca.

5

Cuando murió la madre de Nandu Forcat se dijo que él vendría al entierro y el vecindario esperaba verle, pero no vino. La hija soltera que había cuidado a la vieja se fue a vivir a la Barceloneta con su hermana casada y vendió el piso de la plaza Rovira, así que lo más seguro era que el amigo del Kim no se dejara ver nunca más por el barrio.

Yo seguía dedicando las mañanas al capitán Blay en su infatigable deambular por las calles de Gracia, Perla, Bruniquer, Montmany, Joan Blanques y Escorial subiendo, pulsando timbres y solicitando firmas, recalando aquí y allá en umbrías bodeguitas de oloroso mostrador frecuentadas por solitarios bebedores, mientras mi curiosidad por todo lo referente al padre de Susana crecía: ¿Al Kim ya lo buscaban por rojo cuando se juntó con la señora Anita, capitán? ¿Es verdad que no están casados por la Iglesia? ¿Es cierto eso que dicen de la señora Anita, que trabajaba en un baile-taxi llamado *Shanghai*, y que el Kim la conoció allí? ¿Y eso que también dicen de ella, que antes había sido una pobre criada y luego bailarina en una revista del Paralelo, en la que salía desnuda...?

El capitán dijo que sí, cáspita, bueno, que la cosa tenía sus bemoles y que no era como para contarlo todo así de golpe a un mocoso de catorce años sin oficio ni beneficio, y que en casos como éste lo principal es no olvidar nunca que las mujeres de ojos azules mienten como respiran, eso estaba más que comprobado; y que la única verdad verdadera en la vida del Kim es que había sido un señorito de mucho cuidado, un tipo con clase y educación esmerada, el primogénito de una familia riquísima de Sabadell, fabricantes de tejidos.

—Un señorito libertario, eso es lo que era y lo que es, si es que todavía es lo que fue, o quiso llegar a ser, que sobre este particular la Conxa y yo tampoco nos ponemos nunca de acuerdo. —El capitán se paró ante unos chavales que jugaban a la pelota en la calle Legalidad—. ¡Eh, vosotros, no os acerquéis demasiado a esta cloaca, que está acumulando gases! ¡Lo digo muy en serio, puñeteros! ¡La filtración ha llegado a este nido de ratas y su inhalación afecta al crecimiento de los huesos! ¡Y no se os ocurra echar un petardo dentro...!

—¡Anda ya, Hombre Invisible, desnúdate! —gritó uno de los chicos, y todos rodearon al capitán y corearon—: ¡Que se desnuuuude, que se desnuuude!

—¡Muy bien, por mí ya os podéis asfixiar! —El capitán se abrió paso soltando manotazos. Un poco más adelante meneó la cabeza tristemente y dijo—: De todos modos ya tienen la mierda dentro, ya no crecerán más.

Volví a la carga con mis preguntas sobre el padre de Susana. Por alguna razón, el capitán estaba de uñas con él, aunque no ponía en duda su coraje ni su leyenda, su muy singular condición de héroe clandestino, y recordó que mucho antes de que se le conociera como el Kim, cuando todo el mundo aquí y en Sabadell aún le llamaba Joaquim Franch i Casablancas, ya era un hombre de acción, ideas avanzadas y temperamento indómito, deseoso de labrar su propio destino: con la carrera de ingeniero textil casi terminada, se enamora perdidamente de la criadita de la casa y se escapa a Barcelona con ella, y entonces su padre va y lo deshereda, o más bien él mismo; nunca volverá a ver a la familia. Anita, la madre de Susana, tiene por aquel entonces veintiún años, había venido de un pueblo de Almería para servir en una casa de señores siguiendo los pasos de una prima suya, que después acabaría de corista en el Paralelo. Estamos en los primeros años treinta y se pasan apuros, chaval, el Kim trabaja en lo que puede y desempeña diversos oficios, menos el suyo: fue vendedor de molinillos de café y de navajas de afeitar, gerente de un gimnasio, agente de artistas de varietés, policía secreta de la Generalitat y finalmente representante de una marca alemana de proyectores para cabinas de cine, actividad ésta que le permitió viajar por toda España y le dio mucho dinero.

—Pero todo acabaría como el rosario de la aurora —añadió el capitán cuando ya remontábamos la calle Cerdeña, cerca de casa—. Porque apenas terminaba de instalarse aquí en la torre con su mujer y su hija, que debía tener entonces tres años, cuando estalla el gran merdé y tuturut, todos corriendo a coger el fusil...

Y a partir de ahí qué te voy a contar, chaval, concluyó subiendo lentamente la oscura y angosta escalera de pringosa barandilla, yo tras él sin perder palabra de lo que gruñía y gemía más que decía: pues que entonces reanuda su amistad con Nandu Forcat y su camarilla de soñadores de paraísos, en el frente de Aragón primero y después aquí en Barcelona, y que esa amistad lo decanta rápidamente hacia la utopía ácrata, hacia ese ideal libertario que había de cambiar el mundo y su propia vida, la de su amada Anita y la de esta desdichada niña tísica.

La *Betibú* abrió la puerta y un estimulante aroma a cocido de lentejas con tocino nos recibió en el corredor.

—A la mesa —ordenó el capitán frotándose las manos. Y bajo la mirada resabiada y paciente de su mujer se quitó el vendaje y la gabardina y luego se lavó las manos, y cuando se sentó a la mesa mostrando su espectral rostro desnudo, afilado y un poco demoníaco con la barbita canosa y las cejas hirsutas, con los ojos de lagarto extraviado y su trémula mano tanteando la cuchara sobre el mantel, tenía el aspecto de un decrépito y domesticado Buffalo Bill, ya sin lustrosa cabellera de plata, sin Winchester ni puntería, pero dispuesto todavía a dar mucha guerra.

6

—¿Te gusta el cine? —me preguntó Susana mientras se entretenía ordenando sus recortes de periódicos. Y sin esperar mi respuesta añadió—: Yo hace tanto tiempo que no voy. A veces veo películas en sueños. Una noche vi la luz de un proyector en medio de una pesadilla, brotando en la oscuridad, y me desperté al darme cuenta que era uno de los proyectores de mi padre... ¿Sabías que los proyectores Erneman de todos los cines de Barcelona y de muchas ciudades de España son de mi padre? Él los instaló.

—¿En todos los cines? Ya será menos.

—Bueno, en casi todos. —Reflexionó un rato e insistió—: Sí, sí, en todos los cines de España, claro que sí. ¿Por qué no, si su proyector era muy bueno y el más moderno, el mejor de todos?

Tenía Susana una disposición natural a la ensoñación, a convocar lo deseable y lo hermoso y lo conveniente. Lo mismo que al extender y ordenar alrededor suyo en la cama su colección de anuncios de películas y de programas de mano que su madre le traía cada semana del cine Mundial, y en los que Susana a veces recortaba las caras y las figuras para pegarlas y emparejarlas caprichosamente en películas que no les correspondían, sólo porque a ella le habría gustado o le divertía ver juntos —había reunido a la hermosa Scherezade y a Quasimodo en *Cumbres borrascosas*, había dejado al tenebroso Heathcliff al borde de una piscina con Esther Williams en bañador, a Sabú volando en su alfombra mágica sobre Bagdad en compañía de Charlot y del ama de llaves de Rebeca, y a Tarzán colgado en lo alto de una torre de Notre Dame junto con Esmeralda la zíngara y la mona Chita—, igualmente suscitaba en torno suyo expectativas risueñas o augurios de tristeza mediante leves correctivos a la realidad, trastocando imágenes y recuerdos. Y entre ese revoltijo de recuerdos estaba el de su padre la última vez que vino a verla cruzando la frontera clandestinamente, hacía casi dos años, al poco de caer ella enferma.

—Llegó de madrugada, entró aquí sin encender la luz y se agachó a mi lado. Acababa de hablar con mamá y casi lloraba... No sabía que yo estaba tan enferma. Me vio tan débil que me dio un largo beso en la frente y me dijo que aún no podía llevarme con él. Bueno, si no me lo dijo directamente con palabras, me lo dio a entender... —Susana vaciló como si le fallara la memoria, luego prosiguió—: Sus labios de hielo no se apartaban de mi frente que ardía, Dani, aún los siento algunas noches cuando me pongo a pensar y a pensar sin poder dormir... Vendré a buscarte en primavera, me dijo al oído. Su cazadora de cuero olía a lluvia y creo que llevaba una boina, no pude verle muy bien. Entonces se oyó un golpe en el jardín y se agachó un poco más a mi lado, se giró con la mano en el cinturón tanteando algo y en ese momento alcancé a ver su cara angustiada, pero no los rasgos, sé que es guapo por las fotos y porque me lo ha dicho mamá... Cuando se incorporó no vi ninguna pistola en su mano, y tampoco la llevaba metida entre el cinturón y la camisa. El ruido no era nada, no era nadie, tal vez un gato en el jardín o una maceta de geranios volcada por el viento. Y volvió a besarme, cogió mi mano y estuvo a mi lado hasta que le hice creer que me dormía, porque ya me daba pena. —Suspiró y de nuevo estuvo un rato callada, enfurruñada, y con la lengua se humedeció el labio superior, que lo tenía seco y como hinchado—. Y luego se fue otra vez, pero me dejó escrita una cosa que decía, me lo sé de memoria, decía: dulce paloma dormida, nunca le tengas miedo a la noche porque la noche es mi cómplice y vendré a buscarte con ella... Eso decía, y me lo dejó escrito en un papel.

Me dijo que un día me enseñaría ese papel, y también algunas cartas que le escribió, pero nunca lo hizo. También le gustaba recordar que, siendo muy niña, su padre solía levantarla con un solo brazo hasta casi rozar la fúlgida lámpara del comedor, una lámpara muy antigua que un día, años después, se desplomó de pronto sin que nadie la tocara y se hizo añicos; y que ella tenía muy viva en la memoria esa escena, tenía muy presente el vigor del brazo de su padre, la tensión amorosa y la seguridad que transmitía allá en lo alto, vino a decirme, y también la cegadora luz de la araña de cristal y el vértigo del descenso y la risa de su madre. Y que todavía hoy, sobre todo en las noches que se sentía muy mal, con punzadas en el pecho y sin fuerzas para nada, iluminando súbitamente los recuerdos que guardaba de su padre, sentía a veces en la sangre esa explosión de luz cegadora que ya no estaba en casa y aquel impulso del cariño que la alzaba de nuevo por encima de la fiebre y la soledad, del espanto de los vómitos de sangre y los presagios de muerte.

CAPÍTULO TERCERO

1

Crucé la calle de las Camelias con mi carpeta y mi caja de lápices Faber bajo el brazo, me entretuve un rato con los Chacón frente a la verja, como de costumbre, y cuando me disponía a entrar en el jardín, un chirrido de frenos de automóvil me hizo volver la cabeza. Era un miércoles, único día de la semana que la señora Anita no trabajaba, y justamente esa tarde a primera hora se hallaba en el jardín, más allá del sauce, tendiendo la colada con una tonadilla y dos pinzas entre los dientes.

La brusca maniobra del Balilla que echaba humo por el radiador tuvo lugar un poco más acá de la esquina Alegre de Dalt y el frenazo parecía deberse a que el conductor se había pasado de esa calle; ahora se disponía a dar marcha atrás para enfilarla correctamente. Estuvo parado apenas dos segundos y no vimos a nadie apearse del auto ni oímos el golpe de ninguna puerta, y sin embargo, después que el Balilla hubo retrocedido para corregir su despiste y volvió a ponerse en marcha para desaparecer en la esquina, allí estaba él de pie como surgido repentinamente del asfalto y sosteniendo una vieja maleta de cartón atada con una cuerda, la otra mano hundida en el bolsillo del pantalón, un hombre de mediana edad y aspecto algo desastrado pero a la vez decoroso, mandíbula prominente y mirada furtiva bajo el ala del sombrero gris. Moviendo muy lentamente la cabeza, miró a un lado y a otro de la calle y luego al jardín y la torre, antes de clavar la barbilla sobre el pecho y mirarse los pies; parado allí en medio de la calle, ni desorientado ni confuso, parecía simplemente constatar el lamentable estado de sus zapatos marrones y blancos. Sobre sus hombros un poco encogidos flotaba un amago de tensión nerviosa que me resultaba familiar.

Llegó a pasarme por la cabeza que podía ser el padre de Susana, pero inmediatamente le reconocí: Nandu Forcat. Estaba cambiado. No llevaba gafas de sol y se le veía más flaco y vulnerable que cinco meses atrás, cuando se nos apareció por primera vez parado en el umbral de su casa y al borde de la zanja erizada de peligros. Inmóvil y pensativo lo mismo que entonces, también ahora parecía, más que venir de quién sabe dónde pero de muy lejos, disponerse a partir otra vez desde el borde de otra zanja, el cuerpo vencido un poco hacia delante y recelando algo. Cambié una mirada con Finito y con su hermano, que también le habían reconocido, y mientras él se ponía en movimiento mantuve la verja medio abierta. Se acercó despacio, con la maleta en la mano y el ala del sombrero sobre los ojos, y, al alzar ligeramente la cabeza para hablarnos, su mirada estrábica me desconcertó y no supe a cuál de nosotros dirigía la pregunta:

—¿Vive aquí la señora Anita Franch?

—Sí, señor —respondimos los tres a la vez.

Estoy seguro que ya la había visto y que preguntó porque sí, por no parecer un intruso. Terminé de abrir la verja y le vimos adentrarse en el jardín con paso muelle y decidido. La madre de Susana no le vio entrar. No sé por qué, me figuré que ambos ya se conocían, poco o mucho, aunque en ese momento aún no tenía la evidencia. Más adelante, el capitán me comentaría que, bastantes años atrás, en la época en que la criada Anita servía en casa del señorito Kim y aún no se había enamorado de él, podía haber conocido a Forcat en los bares del Paralelo y coqueteado con él. En cualquier caso, ahora Forcat la miraba tender la ropa y se dirigía hacia ella cruzando el jardín con una pausada y remota determinación, con unos andares que podían haber sido previamente soñados.

Entré yo también y le seguí un trecho, pero mi destino era la galería, ante cuya puerta me paré para verle dejar la maleta en el suelo, quitarse el sombrero y tender la mano a la señora Anita. Ella se mostró sorprendida y muy contenta, se tapó la cara con las manos y él sacó una carta del bolsillo. No me llegaron sus palabras de salutación, pero le oí perfectamente cuando dijo con la voz pastosa y cálida:

—Vengo de Toulouse y traigo noticias del Kim.

Aturdida por un sentimiento contradictorio, debatiéndose entre el alborozo y el reproche, ella tardó en reaccionar:

—No puede ser, Dios mío. ¿De verdad te envía ese tarambana?

—De verdad.

—¿Por qué... por qué no ha venido él?

—Mujer, ya sabes por qué.

—¿Y cómo está, qué hace, aún se acuerda de su familia?

—Claro. Me dio esto para ti.

Le entregó la carta en un sobre sin franquear que ella abrió inmediatamente y, tras identificar la letra y leer unos párrafos, dejó escapar un grito de alegría y se colgó del cuello del recién llegado. Pero enseguida se soltó, tal vez avergonzada por no saber contener un entusiasmo que de nuevo, como no tardaría en averiguar, era injustificado. Lo primero que su marido le decía en esa carta era que hiciera el favor de acoger en su nombre al amigo Forcat y le diera cobijo en la torre en la forma más discreta posible, mientras resolvía en Barcelona un asunto de suma importancia. Supe los detalles más adelante, y naturalmente la señora Anita no podía preverlo entonces, al leer la carta, pero ese favor que su marido le pedía para un compañero en apuros iba a ser, en realidad, el origen de lo único bueno y gratificante que a ella le ocurriría en muchos años, ya que al final del mensaje el Kim reiteraba su viejo anhelo de llevarse a la niña con él algún día, cuando pudiera viajar sin quebranto para su salud, pero respecto de si contaba también con su mujer para emprender una nueva vida fuera de España, de eso no decía nada.

Estuvieron un rato hablando en el jardín mientras ella terminaba de tender la colada, y poco después, cuando yo me había enfrentado de nuevo a mi dibujo sentado a la mesa camilla y Susana se removía en la cama hecha un manojo de nervios, pues ya sabía por mí que este hombre traía noticias de su padre, la señora Anita entró sonriendo en la galería cogida de su brazo y lo presentó:

—Nena, éste es el señor Forcat. Papá le quiere como a un hermano —dijo, y se apresuró a añadir, mirándole con sus chispeantes ojos azules—: Y yo también. Se quedará unos días con nosotras... Este chico tan serio y tan formalito —se volvió hacia mí— es un buen amigo de Susana que viene cada día a hacerle compañía, y se llama Daniel.

Estirado y algo ceremonioso, tendió la mano a Susana y luego a mí. Preguntó a la enferma cómo se encontraba y ella se arrodilló en la cama apretando contra su pecho el gato de felpa.

—Bien —dijo—. La mar de bien. Cada día mejor.

—¿De veras? —dijo Forcat—. Tu padre se alegrará de saberlo...

—¿Viene usted de parte suya?

—Sí.

—¿Cuándo le vio? ¿Se encuentra bien?

Su madre atizaba las brasas de la estufa. Con voz mimosa ordenó a Susana que se metiera entre las sábanas y se abrigara, y después dijo:

—Iré a ver cómo tengo el cuarto de arriba. —Sonrió a su invitado—. Luego subirás la maleta. Dame la americana, aquí tendrás calor.

Él se la dio y la señora Anita salió de la galería. Susana daba saltitos de impaciencia arrodillada sobre la colcha y abrazada a su gato, y repitió la pregunta:

—¿Cuándo le ha visto?

—Hace apenas un mes —dijo él, y cruzándose de brazos sonrió ligeramente y se sentó a los pies de la cama dispuesto a satisfacer la curiosidad de Susana—. Bueno, ¿qué más quieres saber?

—No sé... ¿Qué le dijo?

—Pues me contó muchas cosas. Llegaba de un largo viaje y se disponía a partir otra vez, en misión digamos especial.

—¿Dónde fue que lo vio? ¿En Toulouse?

—Sí. Pero ya no está allí.

—¿Y dónde está ahora?

—Pues... bastante más lejos. Ya sabes cómo es tu padre, un culo de mal asiento. Pero creo que ahora lo mejor es que te acuestes, y que dejemos todo eso para más adelante. Estoy un poco cansado del viaje... Y ya oíste a tu madre, debes abrigarte.

Observé sus cejas hirsutas y altas y su ojo acerado y estrábico, yerto, el ojo que nunca lo vimos mirar directamente a ninguno de nosotros, ni a Susana ni a su madre ni a mí ni a nadie; el ojo frío de pupila inmóvil y levemente velada que parecía repeler la luz y percibir otra realidad, atender a otro reclamo que estaba más allá del entorno inmediato y que probablemente provenía del pasado. Su cara era muy larga y colgaba de ella un pasmo zumbón, una tristeza algo payasa. Pero al hablar no era su expresión ni eran sus ojos, sino su boca grande lo que atraía las miradas, eran los labios tensos y delgados y la dentadura perfecta, tan relamida y prieta que toda ella parecía falsa, artificiosa. Debo añadir que hablaba con una forzada distinción en la voz, esa dicción escrupulosa y afable de los que han luchado por su propio refinamiento en un medio hostil.

Se había levantado de la cama, yo creo que para rehuir momentáneamente las preguntas de Susana, y lanzó una mirada de soslayo a mi pobre dibujo, un esbozo apenas de la vidriera y de la chimenea asesina que emergía al fondo, detrás de los árboles del jardín; no había conseguido un solo trazo bueno de la cama ni de la estufa y menos aún de Susana. Me palmeó la espalda y no hizo ningún comentario. La señora Anita volvió y obligó a Susana a acostarse, la arropó y luego acolchó las almohadas y recompuso la cama, tarea en la que Forcat colaboró espontáneamente alisando el edredón con ambas manos y gran diligencia. En el dorso de sus manos, las poderosas venas azules se encabalgaban sobre los nervios, pero lo que daba dentera era la piel manchada, algunas zonas amarillas como de yodo y otras de color rosado intenso que sugerían el mapa desleído de otra epidermis, parches sedosos, como si las manos hubiesen estado sometidas al fuego o a un ácido o como si alguna enfermedad misteriosa las hubiera despellejado parcialmente. Percibí además junto a ellas un olor parecido al de la coliflor hervida, un aroma casero, sumiso y pocho que nunca se me habría ocurrido relacionar con un pistolero.

La señora Anita se lo llevó para enseñarle el cuarto

donde se alojaría, en el primer piso, yo seguí garabateando y Susana se quedó un rato pensativa y luego abrió un pequeño frasco de laca y empezó a pintarse las uñas. Poco después les oímos hablar en el comedor contiguo. «¿Te busca la policía?», susurró ella, y él dijo: «No lo sé... Tal vez ya no. Yo no era importante en el grupo. Pero nunca se sabe, y en todo caso no tengo adonde ir». Seguidamente ella lo invitó a sentarse, le ofreció una copa de vino y entonces debió enfrascarse de nuevo en la lectura de la carta, porque le oímos decir a él con la voz dolida: «No vuelvas a leerla, mujer, no te tortures. Y sobre todo no pierdas la esperanza...» «Es demasiado tarde», dijo ella, «ya no puedo perdonarle. Le habría perdonado por cualquier otro motivo, por irse con otra mujer, por ejemplo...» «Me consta que no hay ninguna otra mujer en su vida», dijo Forcat. «Hay en su vida algo peor que eso», murmuró la señora Anita con la voz enredada en una tristeza cotidiana y puntual que le podía más que el vino, y añadió: «Ya sabes a qué me refiero.» «Sí», murmuró él, y luego se callaron hasta que ella carraspeó y, como si cogiera el hilo de algo que habían hablado antes, susurró: «De modo que eso fue lo que te dijo. Sólo eso.» «Sólo eso, no. También me juró que nunca podría olvidarte. Quiero decir...» «Sé muy bien lo que quieres decir», lo interrumpió ella, y se oyó el familiar tintineo del cristal de la copa chocando con el cuello de la garrafa al recibir el vino. Entonces Forcat añadió: «Bueno, no le des más vueltas. Hace tiempo que todo acabó.» La señora Anita preguntó: «¿Eso dijo él, que todo acabó? ¿Eso te dijo? ¿Y cómo se sabe eso?». Y su voz se debilitó hasta casi apagarse: «En fin, por lo menos cuenta con su hija... Qué más da que yo me vaya a la mierda. Si lo piensas bien, siempre estás en la mierda...»

Observé a Susana: me habría gustado que no estuviera allí, y yo tampoco. Seguía cabizbaja, pintándose las uñas, y ponía en ello toda su atención. Acaso no era la primera vez que oía a su madre lamentarse de su soledad y de un desamor que, al parecer, ya tenía asumido. Pero entonces, después de un silencio mucho más largo que los anteriores, se oyó el ruido de una silla desplazada con premura, las patas chirriando sobre las baldosas del comedor y luego un leve gemido y otra vez el silencio... Imaginé a la señora Anita tapándose la cara con las manos para reprimir unos sollozos, tal vez ahogándolos en el pecho de aquel hombre, dejándose abrazar por él. Susana levantó la cabeza y me miró fijamente, como si quisiera leer en mis ojos lo que estaba pasando en el comedor. Enseguida volvió a enfrascarse en el esmalte de las uñas agachando de nuevo la cabeza, y su negra melena se partió en dos sobre su pálida nuca.

He pensado a veces que nunca me sentí tan cerca de ella como en este momento, viendo repentinamente gravitar sobre su cabeza rendida el mismo sentimiento de orfandad y desarraigo que yo cultivaba secreta y maliciosamente a la vera de mi madre, y que en ella había de ser sin duda más hondo y persistente debido a la enfermedad y al hecho de que la sensual rubia gustaba de coquetear con la vida, burlar a la soledad y desafiar a los hombres. En ese chirrido de la silla desplazada bruscamente, en el pequeño gruñido imperceptible y en el prolongado silencio que le siguió, Susana habría adivinado lo mismo que yo: una efusión repentina e irreprimible de su madre, y eso la avergonzaba. Y de pronto cogió un trozo de algodón y se puso a frotar frenéticamente el esmalte de las uñas hasta borrarlo, tapó el frasco y lo arrojó sobre la cama y luego se deslizó entre las sábanas con las piernas abiertas. Encendió la radio y la volvió a apagar, me miró fijo y empezó a comportarse como cuando quería divertirse a mi costa y distraerme del dibujo que ella despreciaba, el destinado al capitán: me sacó la lengua, simuló una tos de perro y se golpeó el pecho con la mano, se destapó y pataleó, manoteó el aire como limpiándolo de miasmas y se tapó la nariz con los dedos como si no pudiera soportar el olor del gas y el infecto humo negro que, según las estrambóticas y macabras predicciones del capitán Blay, terminarían por secar sus pulmones. Esta vez, sin embargo, la broma era el reflejo nervioso de algo que la afectaba más íntimamente. Y cuando me propuso con mal disimulada impaciencia una partida de parchís, dejé lápices y dibujo para complacerla. Nada volvió a oírse en el comedor.

Al atardecer, cuando me disponía a regresar a casa, Forcat entró en la galería calzando unas extrañas sandalias de suela de madera y embutido en un largo batín negro estampado con flores y adornado con una grafía china. Ocultaba algo a la espalda y sonreía a Susana. Se recostó un momento en la mesa camilla, donde yo recogía mis papeles, y me llegó la fragancia vegetal de sus manos, ahora más intensa: col estrujada, o tal vez alcachofa.

—Mira, este quimono de seda me lo regaló tu padre —dijo, y se acercó a la cama lentamente—. Y ahora, la sorpresa. Me dio esto para ti.

Era una postal de la ciudad de Shanghai y un abanico de seda verde. Lo que se veía en la postal, según le explicó enseguida, era el río Huang-p'u y sus muelles atrafagados y pintorescos junto al Bund, el paseo más famoso del Extremo Oriente, con sus orgullosos rascacielos y el antiguo edificio de la Aduana. El reverso de la postal, que iba sin franqueo porque el Kim se la entregó en mano, dijo Forcat, estaba totalmente ocupado por una caligrafía diminuta y compulsiva que Susana reconoció en el acto como la de su padre, y que decía:

Mi querida Susana, recibirás esta postal por medio de un mensajero muy estimado por mí y de absoluta confianza. Trátale como si fuera yo mismo y

69

ofrécele hospitalidad y afecto, ha estado siempre a
mi lado ayudándome en todo (¡cocina muy bien!) y
ahora tiene problemas (se lo explico a mamá en la
carta). Trae un abanico de seda auténticamente chino de color verde, tu color favorito, y muchos besos
y memoria de mí, de este trotamundos que no te olvida. Que seas buena y come mucho, obedece en
todo a mamá y al médico, y sobre todo cúrate pronto. Tu padre que te quiere,

KIM.

Susana se quedó mirando el vacío, pensativa, luego
le dio la vuelta a la postal para contemplar de nuevo el
bullicioso río Huang-p'u.

—Pero no lo entiendo —dijo—. ¿Por qué lo ha hecho? ¿Por qué se ha ido tan lejos...?

—Es una larga historia, princesa. Yo diría... —Forcat se interrumpió y, antes de proseguir, ocultó las manos en las amplias mangas del quimono y se sentó en el
borde de la cama sin apartar los ojos de Susana—. Yo
diría que ha ido a buscar algo que olvidó precisamente
aquí... Pero dejemos eso ahora. Vamos a tener mucho
tiempo para contarnos cosas.

2

Todos los días, hacia la una de la tarde y con los
pies reventados, mi único pensamiento era volver a de-
positar al capitán en su casa, comer rápidamente y escapar corriendo a la torre de Susana. Un día le sugerí
al capitán que me acompañara para saludar a Nandu
Forcat.

—¡Y un huevo! —me dijo.

—Pero ¿el señor Forcat no era amigo suyo, capitán?

—Era, eso es —contestó el viejo lunático, y se paró en lo alto de la calle Villafranca consultando su lista de firmantes—. Qué pocos, puñeta. Hay que conseguir más.

—Entonces —yo seguía con mi idea—, ¿no piensa ir a verle?

—Para qué —gruñó con su voz ronca—. Ahora estamos en otra guerra.

Después de un enrevesado preámbulo acerca de las distintas formas de amistad y de rabia que cada guerra genera, el capitán empezó a contarme que Forcat, quince años atrás, cuando trabajaba en el bar La Tranquilidad del Paralelo, un nido de anarquistas proudhonianos y de soñadores de utopías, mientras servía carajillos y barrechas a los clientes, intentaba venderles libros de Bakunin y folletos sobre la revolución que él mismo imprimía.

—Era un somiatruites —dijo el capitán—. Un alma cándida que predicaba el paraíso. Por cierto que sus carajillos tampoco eran de este mundo, eran generosos, les echaba una buena ración de anís... Pero basta de charla, tenemos mucho trabajo y poco tiempo. —Lanzó una mirada escrutadora a lo largo de las aceras angostas y las puertas cerradas y añadió—: ¿Tú crees que en esta calle firmará nadie? Juraría que por aquí ya ha pasado el gas.

Empecinado y loco, pero no tonto ni ciego, el capitán tardó poco en darse cuenta del escaso entusiasmo que su batalla contra la chimenea y el gas despertaba en el vecindario, el pitorreo que provocaba y lo mucho que le iba a costar conseguir la primera docena de firmas. Eso trajo como consecuencia que dejara de meterme prisas con el dibujo de Susana postrada y sufriente, lo cual para mí fue un alivio porque yo tampoco tenía la menor prisa, al contrario; me gustaba tener que ir cada día a la torre y deseaba que esta situación se pro-

71

longara por lo menos hasta el otoño, cuando empezaría a trabajar.

Muchas tardes no llegaba siquiera a coger el lápiz, prefería jugar con Susana a las damas o al siete y medio, y sobre todo, si nos visitaban los Chacón, al parchís. Susana a veces se cansaba y entonces solía recriminarme que ni siquiera hubiese empezado su dibujo, el otro, el que deseaba enviar a su padre con una dedicatoria. Pero también ella dejó de meterme prisas cuando Forcat adquirió la costumbre de aparecer por la galería hacia las cinco de la tarde con su largo quimono de seda negra, sus cabellos brillantes y planchados y sus sonoras sandalias de madera, pulcro y descansado después de una prolongada siesta, y, sentándose en la cama de la enferma, evocaba pausadamente y con detalle algunas vivencias con su padre: cómo se conocieron y cultivaron su amistad en una Barcelona pobre, ilusionada y solidaria con el mundo, una ciudad que ambos habían amado y perdido juntos; cómo después de perderla tuvieron que huir los dos a Francia, y cuántos afanes y peligros y desventuras, cuántas penalidades y también cuántas alegrías compartidas...

No sabría precisar cuándo fue, creo que a partir del día que Susana exigió una respuesta a su reiterada pregunta: qué era eso tan importante que su padre estaba haciendo en Shanghai, una ciudad tan remota y misteriosa —pregunta a la que hasta ahora él había contestado siempre con evasivas—, pero sí recuerdo que estas charlas que Forcat improvisaba empezaron a apasionarnos cuando intentó explicar por qué un hombre como el Kim, que añoraba tanto a su familia y a su ciudad, estaba a pesar de ello sujeto a ciertos avatares de orden internacional a menudo imprevisibles y ligado a sus convicciones morales, y más concretamente cuando se refirió al turbio asunto que lo había llevado tan lejos de aquí, aunque no sé si debo contaros eso, añadió, y guardó silencio y nos envolvió a Susana y a mí con su mirada estrábica, aquel ojo siempre fijo en algo que parecía hallarse a nuestra espalda, algo a lo que precisamente no parecía que se pudiera llegar con una mirada normal. Pero Susana insistió y él acabó cediendo, bueno, dijo, se trata de una larga historia que arranca en Francia dos años atrás, en el cuartucho de una pensión de Toulouse que el Kim y yo compartíamos desde los años más duros, así que lo mejor será empezar por ahí, y luego iremos por partes...

Moisé deja correr el suspense no contando en seguida lo de Shangai

3

Uno de los primeros en ver solicitada su firma fue el señor Sucre, que se topó con el capitán en la calle Tres Señoras un día que lloviznaba.

—Pero Blay, puñetero —dijo sonriendo—, ¿cómo me pides la firma si sabes que extravié nombre y domicilio y sexo y sindicato...? ¿Pero cómo eres así, hombre?

—Venga, ya está bien con esta coña marinera —pro- *Connerie* testó el capitán—. Ahora va a resultar que tú también estás gaseado. Que el asunto no es para tomárselo a broma...

—Está bien, dame tu famoso manifiesto —le cortó el señor Sucre, y empuñó su estilográfica, firmó y ru- *parapher* bricó—. Aquí lo tienes... ¿Sabes una cosa, Blay? Te *hypocrite?* aprecio de veras, camándula. Algún día te haré un re- *vieille* trato. Pero tu cruzada es de risa. ¿Que no ves la magni- *canaille* tud de la nada que nos envuelve? —Y su mano mansa y cenicienta de artista pobre, como si la guiara una memoria rendida, la conciencia táctil de unas formas cívicas ya desterradas, abarcó con un elegante y amplio gesto el nauseabundo pantano que según él nos rodeaba—: Ya me entiendes. Una nada de sueños ahogándose en la nada, que dijo aquél...

73

—¿Lo ves cómo sabes muy bien quién eres, pillastre? —dijo el capitán con una sonrisa de complicidad—. Gracias, tu firma es muy valiosa.

—Blay, no vas a creerme, pero hay días en que estoy muy poco interesado, pero que muy poco, en saber quién puñetas soy. Presiento que da lo mismo. La identidad es una engañifa, y además tan efímera... Somos un desecho cósmico, querido amigo. A mí, lo único que ahora me preocupa es recordar con todo detalle lo que hice mañana y olvidar para siempre lo que haré ayer. Abur.

El señor Sucre se despidió palmeando la espalda del capitán y guiñándome el ojo, y le vimos partir ligero y encorvado bajo la llovizna en dirección a Torrente de las Flores. Seguimos nuestro camino y el capitán meneó la cabeza y sonrió, contento de que su viejo amigo le tomara el pelo con la misma confianza de siempre.

Arriba, en el cielo gris y encapotado, al fondo de una covacha de nubes negras y convulsas que parecían devorarse a sí mismas, permanecía estático el garabato amarillo de un relámpago.

4

El Kim suele decir que él, en medio de los avatares que entraña cualquier misión peligrosa, siempre que empuña la pistola y se enfrenta a la muerte, no lo hace por la libertad o la justicia o por cualquiera de esos grandes ideales que mueven el mundo desde siempre y que hacen soñar a los hombres y matarse entre sí, sino por una muchacha bonita que no puede moverse de su casa ni de su ciudad, atenazada por la enfermedad y la pobreza. Esa muchacha eres tú, princesa, y estás grabada en sus sueños como un tatuaje indeleble. No pasa día sin que él no te vea postrada en esta cama como una paloma herida, prisionera dentro de una jaula de cristal y acosada por un oprobioso humo negro. Dile que no dé cabida en su corazón al desencanto ni a la tristeza, éstas fueron las palabras que empleó y que ahora yo te transmito sin quitar ni añadir un acento; así es cómo te ve y te siente, así es cómo te recuerda y te ama, por encima y más allá de su propio infortunio, porque todas las derrotas y desengaños sufridos desde el final de la guerra los encajó bien: la soledad y el exilio, la ausencia de tu madre, la deportación y la muerte de los camaradas y la saña de los alemanes, todo eso no fue nada comparado con la pena de no poder ayudar a su hija enferma, no poder darle ánimos, deseos de vivir...

Ahora voy a contaros cómo empezó la última aventura del Kim y de qué forma tan inesperada y sorprendente esa aventura lo llevó de Toulouse a Shanghai en pos de un agente nazi, un ex oficial de la Gestapo al que no había visto nunca. Para entender el compromiso y el riesgo asumidos por el Kim en una misión como ésta, debo referirme primero a un desdichado suceso anterior, a la que sería su última incursión a España, inicialmente planeada para recaudar fondos.

Lo primero que recuerdo es el chasquido del cargador de una Browning al ser desmontado, un clic metálico que nunca me fue grato al oído, estamos en Toulouse, hace algo más de dos años, en un cuarto pequeño con un balcón abierto sobre la rue de Belfort, no muy lejos de la estación ferroviaria. El Kim revisa la documentación falsa que le acabo de entregar, me sonríe y se la guarda en el bolsillo. Buen trabajo, me dice mientras ultimo unos retoques en los demás salvoconductos, y añade: Eres un artista.

Deseo aclarar una cosa, chicos: a mí no tenéis que verme con pistola o metralleta, asaltando bancos o disparando como uno más del grupo; no os figuréis al pobre Forcat en tales menesteres, porque no era ésa su misión, ya lo iremos viendo. Ahora a quien veo es a Luis Deniso Mascaró, al que todos llamamos el *Denis*, lugarteniente del Kim y su hombre de confianza, en el momento de inclinarse sobre la pistola que está engrasando sentado en la cama, con una pierna escayolada; en su última escaramuza con la Guardia Civil cerca de la frontera resultó herido y usa un bastón con puño de plata que le presta a sus andares una elegancia suplementaria, que él suele acentuar ante las mujeres. *Denis* el ganso, bromista y simpático a todas horas, joven y apuesto, el amigo fiel del Kim, el niño mimado de los refugiados activistas de Toulouse: en realidad, un pesimista amenazado por la desesperación y la locura, como tantos otros que todavía luchan. Tiene buena puntería y muchas agallas, y uno de sus mayores placeres es limpiar y engrasar las armas del Kim siempre que éste emprende alguna misión. Se oye el tic-tac del reloj de pared, el silbido de un tren que se dispone a partir hacia el sur o que hoy llega con adelanto a nuestro sueño reiterado: trenes de madrugada maniobrando en la estación de Toulouse: y en nuestras pesadillas, trenes fantasmales que entran y salen de nuestro exilio cada noche.

—Déjalo, anda —le dice el Kim—. Esta vez no necesito ir armado.

Viaja a Barcelona con dos objetivos: entregar dinero y salvoconductos falsos para camaradas que han de circular por el sur del país, y transmitir personalmente una contraorden urgente a tres miembros del grupo que dos días antes se habían desplazado a la capital catalana. Dos de ellos, Nualart y Betancort, habían viajado desde Tarascon, y el otro, Camps, lo había hecho desde Béziers. La acción que debe suspenderse es el asalto a una fábrica de material eléctrico en L'Hospitalet, planeado por el Kim, que prometió reunirse con ellos en Barcelona la víspera de la operación. Pero pocas horas antes de partir,

76

el Kim recibe de la Central la orden de suspender todas las actividades; puesto que Nualart y sus compañeros ya están en Barcelona esperándole, decide acudir a la cita para disuadirles de cualquier iniciativa y hacerles regresar. Un rápido viaje de ida y vuelta, un trabajo rutinario y sin el menor riesgo.

Al entregarle los documentos para los otros camaradas y desearle suerte, nos miramos a los ojos; en los suyos se apaga el último resplandor de un sueño, en los míos ya sólo hay ceniza, y el Kim lo sabe:

—Tú no apruebas este viaje —me dice.

—Ni éste ni ninguno más, ya no —le respondo—. Pero menos que ninguno, éste. No veo la necesidad de que vayas, sabrán arreglárselas sin ti.

—Tal vez. Pero ¿y los documentos, y el dinero?

—Creo que todo eso ya no sirve de nada...

—¿Ah, no? —me corta secamente—. Pues aun así, tengo mis razones para ir.

Aprovechará el viaje, dice, para veros a ti y a tu madre, de noche, una visita rápida, un beso y la promesa renovada de sacaros de aquí algún día. Lista y engrasada la pistola, el *Denis* la ofrece a su jefe, que la rechaza. Nunca antes el Kim había cruzado la frontera sin ir armado.

—¿Qué demonios te pasa? —dice el *Denis*.

—No vale la pena tomar tantas precauciones por llevar unos papeles y una contraorden —dice el Kim.

El *Denis* se muestra contrariado no sólo por eso: también él quisiera besar a su Carmen y a su hijo y de buena gana se iría con el Kim si no tuviera la pata rota. Siempre, en todos sus viajes clandestinos a Barcelona, el Kim se aloja de noche en casa de los padres del *Denis*, un pequeño chalet en un paraje solitario de Horta, donde vive también la compañera del *Denis* con su hijo de siete años. Ella es muy joven, tenía dieciséis años cuando se juntó con el *Denis*, él tuvo que marchar enseguida al

Ebro con la quinta del biberón y después al exilio, y Carmen y el niño de meses fueron acogidos por sus suegros, pues en Barcelona no tiene más familia que ellos. El *Denis* la había conocido recién llegada de Málaga, era una muchacha guapísima y siempre asustada que trabajaba y dormía en la peluquería de una tía suya que la explotaba. Y lo mismo que tu padre, niña, el *Denis* nunca perdió la esperanza de ver a Carmen y a su hijo reunirse con él en Francia, pero hasta ahora no fue posible; primero se vio confinado en un campo de concentración y de allí pasó a trabajar en una mina para los alemanes durante la ocupación, logró escapar y luchó a favor de la Resistencia, en cuyas filas conoció al Kim y al que luego acompañó en la aventura del *maquis*, al finalizar la guerra. Pero la historia del *Denis* es otra historia...

Silba una locomotora en la *gare* Matabiau, el último sol de la tarde baña la *ville rose* y hay un chisporroteo de impaciencia en los ojos del Kim mientras observa mi mono blanco manchado de pintura, y me sonríe con afecto: Pobre pintamonas, dice, deberías volver con tu madre. Y es que aquí en Barcelona yo había sido ilustrador, además de camarero, pero en Toulouse sólo pude trabajar como pintor de brocha gorda, igual que el *Denis*; no era mal trabajo, no me quejo.

—Hasta la vuelta. Portaros bien —dice el Kim mientras se guarda los papeles entre las costillas y la camisa—. Te juro que en una de éstas mando las precauciones al carajo y me traigo a mi princesa conmigo.

—¿Estás loco? —dice el *Denis*—. ¿Cómo quieres pasar la frontera con una niña enferma? Lo que sí podrías hacer, si todo se presenta bien, es ver de traerte a Carmen y a mi hijo; si esta vez lo ves posible, adelante, te daré dinero para los gastos, y otra cantidad para mis padres.

El Kim reflexiona mientras termina de ponerse la cazadora.

—Si no veo riesgo alguno para ella y el niño, vendrán conmigo. Cuenta con ello.

El *Denis* le hace entrega de una carta y de cinco mil pesetas, la mitad para sus padres y la otra mitad para Carmen, y los dos amigos se abrazan en medio del cuarto de la pensión, en el centro de aquel rosado resplandor que siempre a esta hora entra por el balcón. Y así he de verles para siempre, fue desde el primer instante como un presentimiento: abrazados los dos y nimbados por una luz que parecía sostenerles en el aire, pensando cada uno para sus adentros, como en tantas otras ocasiones, a pesar de las precauciones y los buenos deseos, que tal vez no volverían a verse nunca más. El Kim acepta finalmente la pistola recién limpiada que le ofrece su amigo. He olvidado las interminables recomendaciones del *Denis* acerca de los pies delicados de Carmen y su propensión a los resfriados, que no la deje dormir al raso cruzando esos montes, pero no se me olvida la mirada resuelta del Kim cuando le dice:

—Confía en mí, muchacho. Te la traeré sana y salva.

Se encamina hacia la puerta y entonces un gato negro que no estoy seguro de haber visto, que tal vez ronronea y cruza con su paso felino solamente en mi imaginación, quiero decir que no recuerdo que estuviera allí en aquel cuarto, que acaso no existe, se desliza ante él saltando luego del balcón a la calle y casi se me escapa un grito.

—¿Qué te pasa, Forcat? —dice el Kim.

—Nada. El micifuz. chat (minet)

—¿Qué micifuz ni qué niño muerto? —Mira a su alrededor sin ver nada.

—No me hagas caso —le digo—. Hala, buena suerte.

Desde el balcón le vemos alejarse por la rue de Belfort camino de la estación con su cazadora de piel y su sombrero marrón, va despacio y pensativo, el cigarrillo en los labios, las manos en los bolsillos, como si fuera a dar uno de sus habituales paseos a orillas del Garonne.

5

—¡Hola, hola! Llovido del cielo me caes, hijo. Deja que me apoye en tu brazo, se me ha salido el zapato —dijo la señora Anita.

Había topado conmigo en la esquina y se tambaleó descalza de un pie, con el zapato en la mano. Se agarró de mi brazo como pudo, me hizo caer la carpeta y la caja de los lápices y me envolvió con su aliento que apestaba a vino. Sonreía mostrando manchas de carmín en los dientes. Yo acababa de salir de la torre, eran las ocho pasadas y sentía el frío pinchando mis dedos a pesar de los guantes de lana. Ella venía del cine Mundial en la calle Salmerón y seguramente se había parado en media docena de bares. Apoyándose en mi brazo, no acertó a ponerse el zapato y cayó en la acera lastimándose la rodilla. Por muy poco no se dio de morros en el canto de un portal, donde la ayudé a sentarse. Levantó la rodilla hasta la nariz y la examinó cabeceando. La media tenía un agujero del tamaño de un huevo.

—¿Quiere que la acompañe, señora Anita?

—Eres muy gentil, pero no hace falta. Es este zapato, no sé qué le pasa. —Lo sostenía ante sus ojos sin saber qué hacer con él, lo miraba del derecho y del revés, pero al zapato no le pasaba nada—. Está viejo, eso es lo que le pasa... y se habrá torcido el tacón. ¡El zapatito de Cenicienta, mira...! —Le devolví la sonrisa, supongo que sin mucha convicción—. ¿Vienes de casa? No habrás dejado sola a Susana.

—El señor Forcat está con ella.

—Ah, por supuesto. Qué bien acompañada está

ahora mi niña, ¿no te parece? Todas las tardes contigo y a ratos con esos chavalines del Carmelo, tan graciosos, y con el señor Forcat, que sabe entretenerla tan bien... Qué suerte hemos tenido, ¿no crees, Daniel?

—Sí, señora.

—¿Qué estupendamente estamos ahora, ¿verdad?

—Sí, señora.

—Y qué bien lo pasamos todos juntos. A que sí, a que lo pasamos de lo más bien.

—Sí, señora, muy bien.

—Estoy muy contenta, ¿sabes? —Suspiró—. Ya mi niña no tendrá que quedarse sola. ¡Uf, mira estas pobres medias, aquí ya no hay zurcido que valga! Y con el frío que hace hoy... —Calló y me dio la impresión de querer perder un poco más de tiempo masajeando su rodilla lastimada. Hasta que observó mis guantes de lana gris, cogió mi mano derecha y la apoyó suavemente sobre el desgarrón de la media y la piel aterida—. ¿Me dejas? ¡Qué calorcito tan bueno, qué alivio...! Y qué guantes tan bonitos. ¿Te los ha hecho tu madre?

—No. La señora Conxa.

—¿Sabías que hay manos que dan calor sólo con mirarlas? —Flexionó un par de veces la rodilla cerrando los ojos. Al abrirlos de nuevo sus pupilas azules parpadeaban alegremente—. Si lo piensas bien, lo único que se necesita en esta vida es un poco de calor en el momento adecuado, un poquitín nada más, ¿no crees...? Pero lo que tú estás pensando ahora es: la señora Anita lleva una buena merluza, a que sí. —Acertó por fin a ponerse el zapato y se incorporó—. Pero ¿sabes una cosa? No hay mal que cien años dure... ¡Ay, mi rodilla!

—Déjeme ayudarla hasta su casa.

—No, ya estoy llegando...

Pero cojeaba y terminó por aceptar que la acompañara, se colgó de mi brazo y antes de empujar la verja del jardín procuró serenarse, se miró en un espejito de mano, atusó los rizos dorados y mientras restregaba la barra del carmín por sus labios me hizo prometer que no le diría al señor Forcat que la había visto en aquel estado. Al cruzar la verja se volvió sonriendo:

—Y ya sabes, si un día vas al cine Mundial y yo no estoy en la taquilla, le dices al acomodador que eres amigo mío y te dejará pasar gratis.

—Gracias, señora Anita.

6

Yo no era más que uno de ellos y no de los más valientes, no de los que se jugaban la piel con la pistola, yo sólo manejaba la plumilla y las tintas y raspaba y suplantaba cifras y nombres con la ayuda del filo de hojas de afeitar y de un chocante y variado instrumental; yo sólo falsificaba sus documentos y me inventaba firmas, les proveía de nombres e identidades nuevas: yo les hacía peligrosos, pero yo no lo era. Yo soñaba sus peligros.

El Kim llega de incógnito a Barcelona una lluviosa noche de finales de abril y se refugia en casa de los padres del *Denis*, a los que entrega la carta y la mitad del dinero que éste le dio en Toulouse; la otra mitad es para Carmen, que lo acepta sin alegría. Una muchacha de veinticuatro años consumida por el trabajo y la soledad, harta de esperar y que ahora mira al Kim casi con odio: sus visitas siempre son una fuente de inquietudes y de tristeza, siempre traen alguna mala nueva; esta vez, el percance del *Denis* en una refriega con los civiles. ¿Hasta cuándo estos sobresaltos? ¿Valen la pena tantos sacrificios, tantos muertos? ¿Cuándo terminará esta pesadilla? El Kim la comprende y le confiesa —y no es la primera vez; la primera vez me lo confesó a mí al salir de una agitada reunión en París— que también él empieza a estar cansado de luchar para nada.

Deseando animarla, le comenta el anhelo del *Denis*: que allí las cosas ya van un poco mejor para todos y tal vez ya es hora de que ella y el niño manden a paseo esta ciudad y se reúnan con él. Puedo llevarte a mi regreso, dentro de tres días, le dice: el paso de la frontera es un poco fatigoso, pero tenemos un buen guía. Sorprendentemente, Carmen no parece entusiasmada con la idea: como si fuera ya demasiado tarde, como si el *Denis* hubiese muerto para ella. Abraza a su hijo y reflexiona... Podemos imaginarlos a los tres esa noche de lluvia junto al fuego del hogar, después de cenar, los viejos ya en la cama y el niño sin querer dormirse en los brazos de su madre: con estos mismos ojos muy abiertos con que vosotros me miráis ahora, entre fascinados e incrédulos, podemos figurarnos ahora aquel niño mirando y escuchando al Kim, el intrépido amigo de su padre llegado desde el otro lado de la noche y del miedo, allá donde por fin terminarían las fatigas y la amargura de su madre; y así de atenta y silenciosa debía escucharle también ella, la hermosa joven casi analfabeta llegada de Málaga durante la guerra... No conozco los detalles, pero finalmente el Kim logra convencerla hablándole de su experiencia en pasar niños a Francia: años atrás, cuando organizó el primer grupo armado confederado y cruzaba la frontera a menudo, a veces al regresar llevaba al hijo de algún exiliado. La última vez pasó a dos niños de ocho y doce años, hijos de un comandante republicano muerto en el campo de Mauthausen. ¿Por qué entonces aún no has sacado de aquí a tu mujer y a tu hija?, le dice Carmen. Y él: ¿Cómo iba a poder mantenerlas durante estos años viajando siempre de acá para allá y alistado en la Resistencia? Y ahora que podría, mi hija está enferma...

Antes de establecer los contactos previstos, el Kim

decide esa misma noche, muy tarde ya, cerca de la madrugada, venir a veros a ti y a tu madre. Llovía mucho y caminó deprisa por calles solitarias y cruzando los descampados de Horta y del Guinardó, hasta que pudo coger un taxi.

Dice que te vio dormida y no quiso despertarte, ni siquiera encendió la luz; me habló del buen olor a eucalipto de esta galería, de sus labios trastornados sobre tu frente abrasada. Te dejó sobre la cama un bolso de plexiglás verde, tu color preferido. Dejó también algún dinero para tu madre. No estuvo ni cinco minutos, pero esos pocos minutos a tu lado le compensaron de muchos sinsabores.

El día siguiente es domingo y amanece despejado y luminoso, con viento y un cielo tan azul que perturba su memoria anestesiada por propia mano, el recuerdo quizá de esta misma luz en este jardín y en días más felices, mientras cruza la ciudad en tranvía y desfilan tras el cristal de la ventanilla los plátanos reverdecidos y las fachadas soleadas, las palmas amarillas en los balcones y la gente que pasea tranquilamente llevando niños de la mano. Y siente en el corazón la punzada que ya otras veces ha sentido: forastero en tu propia ciudad, extranjero en tu propio país, así es como te sientes cuando has sido cegado por el odio y la pólvora como lo fue él durante tanto tiempo, cuando lejos de vosotras imaginaba este infierno de represión y miseria, esta interminable desventura que maldijo tantas veces y que hoy de pronto, inesperadamente, pretende desmentir una jornada tan apacible y primaveral, tan propicia a la festiva desmemoria que parecen disfrutar estos endomingados paseantes... Nosotros no viajamos con el Kim en ese tranvía que cruza la ciudad de norte a sur, pero podemos adivinar lo que presiente una vez más y se esfuerza en rechazar: no sólo la temeraria inutilidad de la Browning recién engrasada que lleva en la soba-

Señal que han pasado las Pascuas

quera, muy cerca del corazón, sino también la futilidad de los viejos ideales que alberga todavía este corazón. Cada nuevo paso de la frontera, cada nuevo encuentro con esa luz es una recaída en el desaliento.

Pero este sentimiento de exclusión conlleva ciertas ventajas: el instinto que te avisa del peligro se agudiza y te mantiene alerta. El Kim guarda los documentos en una vieja cartera de mano y las órdenes en la cabeza: suspender momentáneamente todas las acciones a mano armada destinadas a recaudar fondos, incluido el atraco de mañana. Tal es la consigna de la Central, y el receptor será Josep Nualart. El contacto está previsto en la terraza de un café próximo a la estación de Sants, a las once de la mañana. El Kim baja del tranvía, se para a curiosear en un quiosco, a unos treinta metros del café, y observa a Nualart que espera sentado frente a un vermut, solo, en una mesa del extremo de la terraza. Todo parece normal. La terraza está muy concurrida, atendida por una diligente muchacha rubia con gorrito blanco y falda plisada. Nualart está entretenido en la lectura del periódico, cuyas hojas revuelve el viento, y aún no ha visto al Kim. Es un hombre de treinta y cinco años, robusto, con pelo a cepillo y gafas de montura metálica. Ya os he hablado del instinto del Kim para captar el peligro, pero lo que le salvará esta vez es un pensamiento dedicado a ti, Susana.

Se oye el frenazo de un coche y Nualart levanta bruscamente la cabeza del periódico, pero no advierte nada anormal. Dos niños corretean entre las mesas de la terraza, el viento arrecia y se hace muy molesto. Nualart parece presentir la proximidad del Kim y empieza a girar la cabeza en dirección al quiosco, pero en este preciso instante, un golpe de viento levanta la falda de la muchacha que pasa con una bandeja de bebidas y el incidente reclama su risueña atención y la de otros clientes. Al intentar bajarse la falda, la joven camarera, muy azorada, casi vuelca la bandeja y todo su contenido sobre la cabeza de Nualart. Se oyen algunas risas. Y son las piernas de la muchacha, este inesperado regalo para la vista —así lo habría calificado el propio Nualart, riéndose— lo que le impide advertir la llegada de su jefe y hacerle tal vez una seña, lo cual, combinado con el hecho de que tu padre se entretiene en el quiosco unos segundos más mirando las ilustraciones de una novelita juvenil cuyo título, *Los peligros de Susana*, piensa que te divertirá, es lo que salva al Kim.

Se dispone a comprar el libro, pero ya no hay tiempo para nada. Una mantilla negra que el viento arrebata de la cabeza de una mujer cruza la terraza revoloteando como un cuervo hasta quedar prendida en la rama baja de un árbol. Es la señal, el mal presagio que Nualart no capta. En el quiosco, el Kim pregunta el precio de la novelita, y, al volverse, ya lo ve de pie y como si fuera a caerse, debatiéndose contra el viento y contra su propia sorpresa: flanqueado estrechamente por dos hombres con gabardina, Nualart intenta inclinarse para coger algo del suelo, una boina, pero ellos le sujetan y uno examina su documentación mientras el otro le pone las esposas. No ofrece resistencia y se lo llevan hacia un coche negro en medio de la curiosidad pública, a empellones, pero aún tiene tiempo y humor de echar por encima del hombro una última mirada a las piernas de la camarera, quién sabe si esperando que el viento se decidiera a jugar otra vez con su airosa falda plisada, Nualart era así, siempre tan animoso, un hombre enamorado de la vida y las mujeres...

El Kim permanece junto al quiosco hasta que el coche desaparece y luego se va. Es de suponer que la policía ignoraba que Nualart tenía una cita con él, de lo contrario habrían esperado su llegada para trincarlo a él también. Sin embargo, todo parecía indicar que la bofia había actuado después de recibir un soplo, porque en aquel mismo instante los otros hombres del Kim, Betancort y Camps, así como nuestro enlace para el reparto de propaganda, un mecánico de Gracia, eran también apresados en un piso del Poblenou.

El Kim se entera a las pocas horas, después de correr muchos riesgos, y decide que lo mejor es largarse cuanto antes. No le parece prudente volver al chalet de Horta y cita a Carmen por teléfono en la estación de Francia, ella acude con su hijo y una pequeña maleta y esta misma tarde los tres emprenden la primera etapa del viaje que les llevará a cruzar la frontera durante la noche.

La misión ha fracasado, pero el Kim cumplirá la promesa hecha al *Denis* de traer a su compañera y a su hijo sanos y salvos hasta Toulouse.

CAPÍTULO CUARTO

1

Convertido en la sombra matutina del capitán Blay, atrapado en la tela de araña de despropósitos que diariamente se iba ampliando y reforzando con los excesos verbales y gestuales del viejo grillado, a menudo me sentía flotar en la más pura irrealidad, confinado a un barrio petrificado y gris cuyos medrosos afanes no tenían absolutamente nada que ver con las emociones que por la tarde me esperaban en la torre: mi único deseo era volver junto a Susana y el señor Forcat.

Al principio de nuestro peregrinar recogiendo firmas sentía mucha vergüenza, me escondía detrás del capitán cuando nos abrían la puerta y me hacía el distraído, pero después me acostumbré. Llevaba conmigo una pequeña carpeta con el documento de protesta y una cuartilla en la que el capitán me hacía anotar el nombre y el domicilio de los firmantes, y también de los que rehusaban firmar. Eran los más. El capitán se metía en bares y tiendas, en mercados y colegios, abarcando cada vez más calles alrededor de la odiada chimenea y ampliando una zona que ya contenía casi toda

89

la barriada de La Salud y parte del Guinardó. Llamaba insistentemente a todos los pisos, y atareadas y recelosas amas de casa, bloqueando con el cuerpo la puerta entornada, atendían su petición de mala gana e incrédulas. Si le conocían, firmaban para quitárselo de encima, pero ocurría pocas veces. La mayoría de los inquilinos, sobre todo cuando el que nos abría era el marido, nos mandaba a paseo de malos modos. ¿Una firma para alargar unos metros de chimenea y para atajar una fuga de gas tóxico? ¿A qué coño de chimenea se refería, qué fuga de gas tóxico ni qué humo envenenado ni qué hostias en vinagre?, decían mosqueados, y nos daban con la puerta en las narices.

—Es usted un botarate y un mentecato, señor mío —les respondía el capitán a través de la puerta. Y luego en la calle se lamentaba—: La mierda les llega al cuello y no se quieren enterar. Seguro que este desgraciado es adhesivo al Régimen...

—Querrá usted decir adicto, capitán.

—Quiero decir lo que he dicho, mocoso. Los hay adictos y los hay tan caguetas y pusilánimes que ni siquiera llegan a eso y se quedan en adhesivos. Y encima, gaseados.

Pero no se desanimaba nunca. A finales de mayo, casi un mes después de la llegada de Forcat a la torre, no habíamos conseguido ni una docena de firmas; según sus previsiones, si queríamos que el Ayuntamiento nos hiciera caso no debíamos conformarnos con menos de quinientas, así que ya me veía subiendo y bajando escaleras y llamando a puertas y más puertas hasta el próximo otoño, hasta que el taller me reclamara como aprendiz y me librara por fin de los trotes y delirios del capitán.

No pocas vecinas chafarderas de las proximidades de Camelias y Alegre de Dalt aprovechaban la visita del extravagante recolector de firmas, al que suponían enterado por su mujer de todo lo que pasaba en la torre de la señora Anita, para sonsacarle descaradamente: ¿es verdad que el hombre que esa pelandusca tiene en su casa a pan y cuchillo no vino de Francia, sino del penal de Burgos? ¿Por qué no sale nunca de la torre, qué hace todo el día metido allí con una muchacha tísica de quince años y con este chico...? ¿Es cierto que la taquillera se pasea borracha y desnuda por toda la casa, delante del guercho, o sólo son habladurías?

Con la mayor desfachatez del mundo, y a menudo con todo lujo de detalles, el capitán Blay se complacía en enredar aún más la madeja de chismes. No, señora Clotilde, está usted mal informada, este hombre en realidad es un curandero recién llegado de la China y está tratando a la niña tuberculosa con friegas de agua de rosas cocida con luciérnagas, un remedio muy antiguo contra el bacilo de Koch, y es verdad que en su juventud fue camarero de barco y viajó por todo el mundo y estuvo enamorado de la taquillera, pero Joaquim Franch i Casablancas fue más listo y le birló la novia, él se resignó y parece que olvidó a la rubia, pero quién sabe si aún queda algo de aquel fuego, con estos aventureros no hay que confiarse nunca, y menos de este que tiene la mirada atravesada y el corazón lleno de cicatrices... ¡Forcat el aventurero transatlántico!

Engarzaba patrañas y verdades con la mayor naturalidad, y el vecindario, aunque le tenía por un chalado y un deslenguado, tragaba gustosamente todo aquello que se avenía a sus morbosas expectativas y a quién sabe qué íntimos delirios sentimentales y a qué húmedos sueños, sobre todo en los hombres, pues la rubia taquillera traía de cabeza a más de uno. Y por mucho que desbarrara el capitán, siempre que hablaba de la torre y de sus inquilinos, le escuchaban atentamente. En cuanto a él, simulaba un interés y una curiosidad por cuanto ocurría allí que estaba lejos de sentir. Una vez me dijo que descubrió que ya era un viejo el día que empezó a simular interés por cosas que, en el fondo, le aburrían mucho. Pero la verdad es que raramente se comportaba como un viejo, y mucho menos en todo lo relacionado con su doble obsesión: la chimenea de la fábrica y la peste del gas, auténticos motores de sus andanzas por el barrio y de su comercio con la maledicencia y el malentendido.

Así pude enterarme de muchos rumores que circulaban sobre la señora Anita, unos desmentidos por el capitán y otros no, como por ejemplo que no era la primera vez que acogía a un hombre en su casa: tres años atrás, el proyectista del cine donde ella trabajaba entonces, el cine Iberia, estuvo durmiendo y comiendo en la torre durante casi un mes; según el capitán, aquel hombre era pariente lejano de la señora Anita y estaba muy enfermo, lo habían echado de la pensión y no tenía dónde dormir, tosía y escupía todo el tiempo —siempre he creído que él contagió a la niña, aventuró el capitán—, y aunque había que admitir que era un hombre muy guapo y muy pulcro, ella le comentó a doña Conxa que sentía asco de él, sobre todo al cambiarle las sábanas.

En una floristería de la calle Cerdeña próxima a casa, en la que el capitán se precipitó diciendo que tenía necesidad urgente de oler claveles —aunque al entrar exclamó husmeando el aire: «¡Hasta aquí llega el aliento corrompido de la mala bestia!»—, la dueña, una mujer flaca y envarada, antes de decidirse a firmar la carta de denuncia, que el capitán me ordenó leer en voz alta una vez más, opinó que la madre de Susana era una charnega ignorante: «Tantos años viviendo aquí y aún no ha aprendido a hablar catalán, ni ella ni su hija», y añadió que lo peor de la taquillera no eran sus líos amorosos, sino su afición al vino, sus faldas tan ceñidas y su manera de andar, su mal gusto, vaya, esos aires de fulana que ya nunca se quitará de encima, qué lástima. Con su marido en casa, seguro que movería menos el pompis, dijo.

—Los hombres la encuentran dulce y apetitosa, a esta rubia, ¿verdad? —entonó con la voz meliflua el capitán—. Aquí donde la ve, es una fumadora empedernida. Pero mire usted, señora Pili, cuanto más viejo y carcamal se hace uno, menos ganas tiene de juzgar a nadie... Bueno, a casi nadie. Por eso creo que Dios, que ha de ser mucho más viejo y mucho más carcamal que yo, cuando me reciba allá arriba no me juzgará. Me dirá pase usted, Blay, y acomódese por ahí lo mejor que pueda. Eso es lo que me dirá... Y de todos modos, señora Pili, si uno lo piensa un poco, haga lo que haga esta rubita pizpireta con sus sentimientos y con su bonito trasero, lo único que a nosotros debería preocuparnos de verdad son los estragos que el bacilo de Koch está causando en su pobre hija, y este gas que ya está pudriendo sus flores y amenaza con pudrirnos a todos.. Por eso pido su firma, para sanar los pulmones de una criatura inocente que morirá sin remedio si no nos unimos todos para reclamar justicia y exigirle a la autoridad que ordene derribar esta chimenea del demonio, o por lo menos que la eleven unos metros más...

—Está bien, está bien —cortó la señora Pilar muy atabalada, y me quitó de las manos el pliego de firmas—. Trae acá, chico. Firmaré. No se puede con este viejo mochales.

Le reprochó al capitán que dramatizara tanto la dolencia pulmonar de Susana; a ella no le constaba que esa niña se fuera a morir. Añadió que la tuberculosis era una enfermedad romántica, y que no había que exagerar... Ya en la puerta, el capitán se volvió para responderle a la señora Pilar que tuviera cuidado si, dejándose llevar por su alma romántica, se quedaba alguna noche clara y serena mirando las estrellas: que las estrellas no

93

parpadean, le dijo, que eso es mentira, que lo que hacen es soltar un polvillo blanco que seca el nervio óptico y te puede dejar ciego.

—¡No diga más tonterías, hombre de Dios! —exclamó la florista.

—Eso de que nos envían luz es un camelo del Servicio Meteorológico —afirmó el capitán—. Están muertas y bien muertas desde hace millones de años. Anoche lo dijo Radio España Independiente.

Se sentía como pez en el agua deambulando por el barrio. Le pregunté por qué no se había escapado de Barcelona como habían hecho el Kim y Forcat y tantos otros, y como seguramente habría hecho también mi padre de no haber desaparecido en el frente.

—Me moriré en La Salud —gruñó—. De aquí no me mueven, enterraré mi corazón en La Salud... Ufff...

Se había quedado rezagado y al volverme le vi meando tranquilamente en la boca de la alcantarilla, en la parte baja de la plaza Sanllehy. Soltaba una orina gruesa y trenzada, oscura y silenciosa.

—Aquí no, capitán, por favor —tiré de su gabardina, pero no se movió—. Por favor.

—Las meadas del Hombre Invisible no se ven —dijo riéndose.

—¡Usted no es el Hombre Invisible, hostia! —Impotente y avergonzado, temiendo que alguien nos llamara la atención, me puse a patear el suelo, y, en un tono resabiado que me asqueó a mí mismo, le reprendí—: ¡Ya sabía yo que hoy terminaríamos haciendo alguna gansada!

—¿Y qué quieres que le haga? —dijo él—. ¿No sabes que soy un viejo loco?

—Vámonos, capitán, se hace tarde.

Poco después platicaba con el dueño de la vaquería de la calle San Salvador donde la señora Anita compraba la leche de vaca para Susana. Solicitó su firma para ayudar a respirar mejor a una pobre tísica indefensa, pero el lechero gruñó que eso era una estupidez y una pérdida de tiempo, qué coño piensa conseguir con cuatro firmas, y me hacía señas para que me llevara del establecimiento aquel pelma que no paraba de hablar.

—¿Qué le cuesta echar una firmita, eh? —dijo el capitán—. Creo que no se da usted cuenta del peligro que corre. Usted y toda su familia. ¿Sabe lo que es el gas?

—Pues hombre —resopló el lechero—, alguna idea tengo...

—Lo dudo, señor mío. El gas es una materia espiritosa, como el aire, como el olor de las vacas, como las mentiras de las mujeres rubias y como los pedos de los obispos, que no se oyen ni se ven. Y tiene la propiedad de propagarse indefinidamente, sin que nada pueda atajarlo.

—Que sí, maldita sea... Llévatelo, chaval. A este hombre alguien debería explicarle lo que le pasa. —Lo cogió del brazo y meditó un instante lo que iba a decirle, mirándole con unos ojos tan llenos de lástima que se ganó un desdeñoso bufido del capitán—. Mire, Blay, usted estuvo mucho tiempo encerrado en su casa y con metralla en la cabeza, y aún no está curado del todo, y lo mejor sería que no le dejaran andar por ahí...

—Es una miasma, un fluido —lo cortó el capitán—. Y hay muchas clases de gases. El grisú, por ejemplo, el gas de cloro, tóxico y asfixiante, que invade las trincheras. El gas doméstico, silencioso y rastrero. El gas verde de los pantanos y los embalses, una especie de adormidera... ¿Por qué cree usted que se inauguran tantos pantanos en este país?

—¡Muy bien, lo hemos entendido! Ahora váyase, tengo mucha faena.

—Sí, echarle agua a la leche, ésta es su faena. ¡Está usted bien inficionado, entérese! ¡Mameluco, que es usted un mameluco! Bueno, ¿firma o no firma?

Después de algunos forcejeos conseguí sacar al capitán a la calle. Ese día me gané a pulso mi premio de todas las tardes, mi asiento de preferencia en la cálida galería de la torre, aparentemente aplicado en el dibujo pero en realidad esperando con impaciencia ver aparecer a Forcat con su magnífico quimono de amplias mangas donde ocultaba las manos, verle sentarse muy despacio y abstraído al borde del lecho de Susana y fijar un buen rato su ojo descentrado en la luz mortecina del jardín mientras seguramente buscaba las palabras para reanudar su relato, y entonces yo soltaba el lápiz y me levantaba de la mesa camilla sin hacer ruido y me deslizaba hasta la cama para sentarme al otro lado junto a Susana y poder así escucharle de cerca, dejarme atrapar como ella en la tupida red de su voz y en la tenaza abierta de su mirada, aquellos ojos alertados que hurgaban en el recuerdo siempre en direcciones opuestas.

2

Ahora esta ciudad y los días que nacen en ella tienen una luz transitoria y un aire encalmado: dirías que el huracán de la vida pasa lejos de aquí, lejos de tu cama, y que te ha olvidado. Pero no es verdad. Porque inevitablemente y quieras que no, y con más saña y de forma más duradera que la enfermedad que ahora te aqueja, el mundo te contagiará su fiebre y su quimera y tendrás que aprender a vivir con ellas, como hicieron el Kim y sus amigos.

Por aquel entonces, lo que movía a estos hombres que se habían propuesto transformar el mundo, lo que les impulsaba a vivir peligrosamente, sacrificando la seguridad y el afecto de su familia y en muchos casos su propia estima, eran unas cuantas cosas que hoy en día ya empiezan a no importar a nadie y pronto serán olvidadas. Tal vez sea mejor así; a fin de cuentas, el olvido es una estrategia del vivir. Pero ocurre que el Kim, además de sus desvelos habituales, no deja de pensar en su querida niña y desea verla curada y feliz. *inquietudes*

Todo lo que os voy contando lo supe por boca del propio Kim en el transcurso de una tarde de lluvia que pasamos juntos bebiendo cerveza en un cafetucho de la rue des Sept Troubadours, en Toulouse, la víspera de su regreso definitivo a Shanghai y del mío a Barcelona. *Rue du Canal* Si algo invento, serán pequeños detalles digamos ambientales y garabatos del recuerdo, ciertos ecos y resonancias que no sabría explicar de dónde provienen o *faltes de mouche* que me pareció escuchar entremedio de lo que él me contaba, pero nada esencial añado ni quito a su narración, a la extraña aventura que en menos de quince días le llevaría a Extremo Oriente.

Sucede que una semana después de entregar a Carmen y a su hijo al *Denis*, que lloró de felicidad al verles, la detención de Nualart y sus compañeros en Barcelona levanta en la Central toda clase de suspicacias y el Kim viaja a París para entrevistarse con un comunista español que afirma disponer de información confidencial sobre lo ocurrido. Pero tal información proviene de fuentes poco fiables y resulta además descabellada; entre otros disparates, el informe sugiere la posibilidad de *insensé* una delación mía en la Jefatura Superior de Policía de Barcelona a cambio de una supuesta impunidad. Todo eso contraría enormemente al Kim, que rechaza de plano cualquier sospecha de traición. Ya había salido cabreado del último Congreso de la CNT en Toulouse *découragé* y ahora lo que está es muy desalentado y muy harto de todo: de los eternos recelos de los comunistas y de su falta de apoyo a causa de su filiación libertaria, de las consignas del Comité de la Confederación anulando sus iniciativas, de la división entre las distintas tenden-

la república perdió la guerra a causa de esas divisiones
siguen después en la plaza Wilson

cias de la CNT y de una lucha interminable en la que estaban cayendo los mejores...

Al atardecer pasea por la orilla del Sena preguntándose qué debe hacer con su vida. El Sena es como ese largo y oscuro deseo de felicidad que fluye en silencio a su lado, que siempre lo acompaña y que hoy viene crecido y parece querer anegar su memoria cansada, saturada de violencia y de muerte. Este viaje a París, sin embargo, no va a resultar tan inútil como él piensa, y pronto se verá rebotado del río Sena al río Huang-p'u, poniendo por vez primera en su vida un gran océano de por medio entre sus combativos afanes políticos y el ansia de reemprender algún tipo de vida privada contigo y con tu madre, donde sea y cuanto antes.

Pero vamos por partes. Ocurre que el último día de su estancia en la capital francesa, alojado en casa de un compañero, recibe desde la clínica Vautrin la llamada telefónica de Michel Lévy, un amigo francés que no veía desde poco antes de la liberación de París. Con el apodo de *Capitán Croisset*, Lévy fue el jefe del Kim en Lyon cuando ambos luchaban en las filas de la Resistencia. En marzo de 1943, en la comisión de un sabotaje contra una patrulla alemana, el *Capitán Croisset* le salvó la vida y el Kim no lo olvidará nunca. Lévy tenía motivos más que sobrados para odiar a los nazis y los combatió con verdadera saña. Su padre y dos hermanos, detenidos por las SS después de la gran redada de judíos en el Vel d'Hiv, habían muerto en las cámaras de gas de Treblinka y el resto de la familia se salvó huyendo de Francia. Él se unió a la Resistencia y poco antes de la liberación fue detenido por la Gestapo y torturado, le quedaron secuelas físicas y ahora debe someterse a dos delicadas intervenciones quirúrgicas. El Kim decide visitarle antes de regresar a Toulouse.

Una clínica privada en las afueras de París. Le recibe un hombre consumido, postrado en una silla de ruedas, pero animoso y sonriente. Se abrazan, intercambian bromas y recuerdos. ¿Qué haces en París, mon vieux? Ya ves, dice el Kim, sigo en lo mismo, qué remedio, en España aún no hemos acabado con esa chusma... y empiezo a pensar que no lo conseguiremos nunca. He venido a París sin ganas y además finalmente para nada, para recibir otra bronca. Pero ahora me alegro porque así he podido darte un abrazo.

Lévy advierte su profundo desaliento. No creas que a mí me ha ido mejor, le dice para animarle, parece que los nazis consiguieron finalmente romperme el espinazo y aquí me tienes, los médicos no saben qué hacer conmigo. Y le cuenta sus avatares desde que terminó la guerra: después de sufrir la primera operación en la columna vertebral, se trasladó a Extremo Oriente para ocuparse de algunos negocios de la familia relacionados con el comercio marítimo. Lévy pertenece a una familia francesa muy rica, con parentela establecida en Shanghai desde hace muchos años y dueños de diversas empresas y concesiones: la Compañía de Tranvías, una naviera, una fábrica textil y varios restaurantes. Lévy se enamoró de Shanghai desde el primer momento y decidió quedarse, se hizo cargo de la compañía naviera y de la fábrica y hace seis meses se casó con una muchacha china llamada Chen Jing Fang, hija de un traficante de opio de Tianjin. Es feliz en su matrimonio, sus negocios marchan bien, posee una sólida reputación en los medios aduaneros y banqueros de Shanghai... pero ahora todo eso pende de un hilo. Su columna vertebral se ha agravado y además le tienen que extirpar un coágulo en el cerebro, así que ha venido a París a ponerse en manos de un prestigioso neurocirujano. La primera operación implica un riesgo, y, si sale con bien de ella, le espera una segunda aún más peligrosa: en el mejor de los casos, su estancia aquí no será inferior a cuatro meses. Para evitarle a su mujer un sufrimiento inútil, no le permitió acompañarle. Será operado dentro de dos o tres semanas y no teme morir en el quirófano; teme, en cambio, por la vida de Chen Jing Fang.

—Por eso, al saber que estabas en París, no he dudado en llamarte. —Michel Lévy se impulsa en su silla de ruedas acercándose más al Kim con expresión de ansiedad—. Quiero pedirte un favor, amigo. Un gran favor que sólo tú puedes hacerme.

—Cuenta conmigo. ¿De qué se trata?

—¿Te acuerdas de Kruger, el coronel de la Gestapo que me torturó en Lyon?

—Cómo no voy a acordarme de ese criminal.

—¿Le viste alguna vez en persona?

—No. En cierta ocasión ametrallamos su coche oficial y el cabrón escapó por los pelos, acurrucado en el asiento trasero. Apenas le vi la gorra.

—Está en Shanghai —dice Lévy suavemente, como si quisiera atenuar el mal efecto que esta noticia pudiera causarle a su antiguo camarada—. Helmut Kruger se hace llamar ahora Omar Meiningen y regenta un club nocturno, el Yellow Sky Club, y algunos burdeles. Me informé: huyó a Sudamérica antes de que terminara la guerra, vivió en Argentina y en Chile traficando con armas y después saltó a Shanghai. Es un hombre muy conocido en los ambientes nocturnos de la ciudad y juraría que está protegido por una organización de ex nazis que trafica con armas y tiene conexiones con el Kuomintang.

Que habían coincidido casualmente en una recepción del consulado inglés, le explica al Kim, dos días antes de su viaje a París y ya clavado en esta silla de ruedas, y que le había reconocido en el acto a pesar del pelo teñido, el bigote y la simpática sonrisa. Y que Kruger también le reconoció a él, aunque simuló tener ojos solamente para Jing Fang.

—Primero pensé en denunciarlo a un judío cazanazis que conozco en Nueva York —dice el paralítico—. Hace menos de un año, cuando aún podía valerme, lo habría liquidado personalmente... En mi estado, decidí esperar y planear algo seguro a mi vuelta, después de operarme. Pero aquí en París me han asaltado repentinamente toda clase de temores. ¿Y si me quedo tieso en el quirófano? Porque verás: esta fiera sanguinaria me reconoció como te he dicho, y al día siguiente me envió un anónimo con esta amenaza: si no practico la sabia estrategia del olvido, mi mujer y yo lo pagaremos el día menos pensado, ella la primera. ¿Te das cuenta?

—¿Quieres que acabe con él? —dice el Kim.

—Quiero ante todo protección para mi mujer. Pero desde luego lo mejor es cortar por lo sano.

—Estoy de acuerdo.

—Tendrás que actuar solo —dice Lévy—. Ni siquiera debes hablar de ello con Jing Fang, solamente protegerla. Escucha, mi buen amigo. —Se inclina hacia el Kim desde su silla de ruedas y le coge del brazo. El Kim nota la crispación de los dedos—. Si le ocurriera algo a Jing Fang, preferiría no salir vivo de esta clínica. Sin ella estoy perdido... —Sonríe un poco avergonzado y añade—: ¿Sabes lo que significa su nombre en chino? Jing significa la quietud y Fang la fragancia... Es lo que esta mujer maravillosa ha traído a mi vida.

—Tranquilízate —le dice el Kim—. Nos ocuparemos de ese maldito alemán.

—Sabía que no me ibas a fallar.

Dará instrucciones a su gente para que el Kim disponga de lo necesario cuanto antes. «No debes apartarte de Jing Fang», añade Lévy, «así que te alojarás en casa, en lo alto de un rascacielos del Bund, la más famosa avenida de todo el Oriente». Telefoneará a su mujer y le dirá que el Kim es como un hermano para él, y que va a Shanghai... en busca de trabajo, por ejemplo.

—Serás bien acogido —dice Lévy—. Pero aún no

sé cómo convencer a Jing Fang de la necesidad de dejarse acompañar por ti siempre que salga sola o de noche... Y eso sin hablarle de Kruger ni de su amenaza, ¿comprendes?, porque no quiero alarmarla. En fin, ya encontraré una explicación convincente.

El Kim asiente pensativo, luego hace una observación: eso de viajar tan lejos en busca de trabajo, como excusa podría parecer francamente un poco raro, dice, pero ¿y si resultara que es verdad?

—¿A qué te refieres? —dice Lévy.

—A que nada me haría más feliz que trabajar para ti en alguna de tus empresas. No habrás olvidado que soy ingeniero textil, aunque nunca pude ejercer a causa de la guerra y el exilio... A tu lado no tardaría en ponerme al corriente.

Michel Lévy escruta su cara en silencio.

—Sin duda —dice—. Pero ¿tan desengañado estás de la lucha?

—Creo que ha llegado la hora del relevo. Que otros lo harán mejor. Y quiero sacar de España a alguien que quiero mucho y ofrecerle un porvenir.

—Te comprendo. Pero ¿en Shanghai?

—¿Por qué no? Cuanto más lejos, mejor.

Lévy se alegra y le asegura que puede contar con él, por supuesto. Hablarán de ello cuando regrese curado a Shanghai y puedan celebrarlo.

—Ahora lo más urgente es Kruger —añade con la voz repentinamente quebrada, vengativa—. Pon mucha atención, y sobre todo no te dejes sorprender, es muy astuto y carece de escrúpulos. Repito: se hace llamar Omar Meiningen y es propietario del Yellow Sky, el club nocturno más de moda y más *chic* de Shanghai. Allí podrás verle cualquier noche...

El Kim escucha tenso, fascinado por la voz rota y envenenada del héroe, rota como el cuerpo que la cobija y envenenada como la memoria del dolor que suscita ese cuerpo. Abstraído de todo menos de esa voz y ese dolor, fiel a una íntima promesa de amistad y de gratitud, el Kim revive ahora fugazmente escenas de violencia y vejaciones que nunca más habría deseado evocar ni siquiera por solidaridad con las víctimas, y por eso no alcanza a ver la señal agazapada a sus pies, pero yo sí la veo, nosotros sí la vemos: un alacrán de fuego que se arrastra en círculos concéntricos sobre las impolutas baldosas blancas, cercando a los dos amigos y moviendo a un lado y a otro su aguijón enhiesto, una uña escarlata y llameante. Y me diréis, ¿cómo puedes tú saber todo eso si no estabas allí? ¿De dónde sacas esos pormenores sobre la voz envenenada y el alacrán de fuego? ¿Qué hace un escorpión en ámbito tan aséptico y luminoso como la habitación de una clínica de lujo en las afueras de París...? Si alguna vez habéis observado largamente un crepúsculo rojo, esperando hasta el final para ver cómo se repliega sobre sí mismo el último y más delicado resplandor, cómo reflexiona la luz antes de morir, sabréis de qué estoy hablando.

Al impulsar las ruedas de la silla para acercarse más al Kim, Lévy aplasta al escorpión. Tampoco él ha visto el fulgor de su uña envenenada, y ansioso pregunta:

—¿Cuándo estás dispuesto a viajar?

—Cuando tú digas, capitán —responde el Kim sin vacilar.

—Me ocuparé inmediatamente del pasaje y del dinero. Embarcarás en Marsella en un carguero de la Compañía, el capitán es amigo mío y dispondrás de un buen camarote... Te preguntarás por qué te hago viajar en uno de mis barcos y no en avión, si no será por ahorrarme unos dólares. Por supuesto que no. Es porque, de paso, me harás otro favor. El barco es el *Nantucket* y en la cabina del capitán hay algo que me pertenece y que necesito recuperar. Se trata de un libro chino de un tal Li Yan, y tiene las tapas amarillas y bellas ilustraciones en su interior; también lo reconocerás porque en su primera página hay una dedicatoria en caracteres chinos y escrita a mano en tinta roja, junto a una mancha de carmín... Es muy importante que no olvides eso: una mancha de carmín. Quiero que te hagas con ese libro discretamente, sin que el capitán se entere. Y no me preguntes ahora por qué, te lo contaré en Shanghai... si salgo de ésta. ¿Puedo contar contigo, mon ami?

—Dalo por hecho.

—¿Qué llevas de equipaje?

—El cepillo de dientes y una Browning con cachas de nácar.

El héroe de la Resistencia sonríe en su silla de ruedas.

—Veo que no has perdido el valor ni el humor.

—Me queda más de lo primero que de lo segundo —dice el Kim.

—Bien. Necesitarás ropa y dinero. Haré que te entreguen tres mil dólares y en Shanghai podrás comprarte lo que quieras.

—Creía que los japoneses la habían saqueado.

—De ningún modo. En Shanghai encontrarás lo que no encuentres en París, más barato y mejor. Una vez allí, si necesitas más dinero o lo que sea, no dudes en pedírselo a mi socio, se llama Charlie Wong; yo le daré instrucciones. No quiero que te falte de nada. Cómprate ropa buena. —Sonríe Lévy, sin conseguir borrar totalmente de sus labios un rictus de dolor—. Tendrás que ir elegante para acompañar a Jing Fang, es muy guapa... Y una última cosa. —Saca del bolsillo un objeto diminuto y cobrizo y lo muestra al Kim en la palma de la mano—. ¿Ves esto, camarada? ¿Sabes lo que es?

—Parece una bala del nueve corto.

—Lo es. Es la bala que el coronel Kruger me clavó en el espinazo y que me ha postrado en esta silla de ruedas. Quiero que se la metas en la boca a ese maldito carnicero, una vez muerto.

El Kim asiente en silencio, mirando fijamente la bala como si calibrara su rabia dormida y fría en el nido rosado de la mano. Pero no piensa en eso ahora, no mide el riesgo ni las dificultades, no calcula el alcance ni la sinuosa trayectoria de la rabia que no cesa y de la venganza inaplazable que viajará con él a través de mares y continentes. Piensa en su princesa, piensa en ti, Susana, en este otro nido de soledades en el que tú yaces y en cómo sacarte de él. Cuántas veces desde ese día, ya con la certeza del reencuentro en Shanghai, no te habrá imaginado paseando sonriente y limpia de fiebre bajo los frondosos árboles a orillas del río Huang-p'u, cogida de su brazo y tan bonita luciendo agujas de jade en el pelo y un vestido de seda verde, muy ceñido y abierto en los costados, como las jóvenes chinas elegantes...

3

Más o menos cada quince días, doña Conxa pasaba por la torre a recoger los finos encajes de bolillos que trenzaba la señora Anita y encargarle otros de diseño parecido y fácil, generalmente pequeños tapetes y centros de mesa. Solía traerle a la enferma manojos de la flor del saúco que hervía en agua y luego le daba friegas en el pecho y la espalda, bromeaba con Forcat y a veces incluso ayudaba un rato a la señora Anita en las faenas de la casa. A mediados de mayo, cuando estalló la floración amarilla en las laderas de la montaña Pelada, Finito Chacón y su hermano se descolgaban de la colina con brazadas de ginesta para Susana y ella las esparcía sobre la cama. Después del verde, el amarillo era su color predilecto.

También cada quince días, los miércoles, Susana recibía la visita del doctor Barjau, un sesentón gordo y arisco que vivía cerca del parque Güell y recorría el barrio con los desfondados bolsillos de la americana llenos de caramelos y arrastrando los pies como si los tuviera de plomo. A Susana le traía revistas de cine y le cogía la mano, se sentaba a su lado aplastando la cama y ponía el termómetro en su boca, le daba Senocal disuelto en agua y luego le clavaba una inyección de calcio en la vena que solía causarle sofocos y mareos. El doctor Barjau era completamente calvo y, quizá para compensar esa deficiencia, le salía de las orejas una difusa mata de pelos rojizos que parecía un ornamento floral. «¿Cómo va esa tos, niña? —Y pellizcaba sus mejillas febriles—. Levántate la camisa y enséñame la espalda. ¿Y esas decimitas qué, no se quieren ir del todo? ¿Treinta y siete con ocho? Bueno, siempre sube un poco por la tarde», y bruscamente pegaba la oreja florecida a su espalda para escuchar el pulmón carcomido. A veces mejoraba su técnica auscultatoria con la ayuda de dos duros de plata: colocaba uno sobre el pecho de Susana y lo percutía con el canto del otro duro mientras su oreja en la espalda arqueada captaba la resonancia de la caverna; cerraba los ojos y gruñía y refunfuñaba, como si le hablara al pulmón. Pero sus abruptos manejos escondían una solícita ternura que sólo se manifestaba cuando veía asomar a los ojos de la enferma la angustia del esputo y el temor a la muerte. Al ponerle el estetoscopio en el pecho, por ejemplo, los ojos de Susana quedaban repentinamente fijos en el vacío y desamparados, o buscaban espantados los de su madre o los míos; era una mirada que yo no podía soportar, pero el doctor Barjau la conocía muy bien y lo que hacía era darle a la tísica un suave coscorrón diciéndole: «Estás requetebién y la mar de guapetona.»

Luego siempre insistía en lo mismo: mucho reposo

y buenos bistecs, y alegría, sobre todo alegría. La señora Anita sonreía y replicaba en tono de chunga que también a ella le gustaría mucho que le recetaran todo eso, y entonces el médico, mientras sostenía el termómetro y confirmaba esas décimas de más que siempre tenía Susana, lanzaba una mirada torva y burlona de reojo que subía por las piernas de la rubia taquillera erguida junto a la cama y cruzada de brazos con el vaso de vino en la mano, su bata malva abierta dejando ver el viso negro bruñido en los muslos y en el vientre, y llegaba hasta su pecho: «Tú no necesitas ni bistecs ni más alegrías, Anita, desde aquí puedo ver tu hígado rabioso... y otros órganos que me callo.» Ella se ceñía apresuradamente y hasta el cuello las solapas de marabú y soltaba su risa tabacosa.

—Y no quiero que fumes aquí —añadió el doctor Barjau.

—¿Quién está fumando aquí? —dijo la señora Anita—. Nunca lo hago.

—Hum. Lo digo por si acaso.

Yo aprovechaba estas escaramuzas, que se repetían con frecuencia y que a Susana parecían fastidiarla más que las rudas manos del médico sobre su cuerpo, para interrumpir con sumo gusto mi desdichado dibujo, que me estaba saliendo chato, sin perspectiva. Pero lo peor no era eso; lo peor del puñetero dibujo era que no sugería nada. Me traía de cabeza el humo verdinegro y baboso de la chimenea. Según el capitán Blay, la presencia de esa baba tóxica y repugnante sobre el lecho de la tuberculosa era importantísima, decisiva. Me había explicado mil veces cómo ese humo se metía en los pulmones de Susana y alimentaba el bacilo de Koch, cómo le roía los bronquios y le oprimía el corazón, pero yo me decía: ¿se puede dibujar lo que no se ve?

Trabajaba sentado en la mesa camilla, a pocos metros del lecho y cerca de la estufa, y el peculiar estancamiento del aire alrededor de la enferma y la risa un poco ronca de su madre, la tenue dulzura de los vapores de eucalipto, la aguja en la carne blanca de Susana y el olor del alcohol y el sol rojo de la tarde en las vidrieras se me antojaban los mórbidos elementos de una atmósfera intemporal y única, preñada de sensualidad y de microbios, que yo jamás, estaba seguro, lograría reflejar en el dibujo. No era sólo un convencimiento, era más bien una sensación física; en medio de aquel aire voluptuoso, cargado siempre de aromas, de sabor, de humedad, el cuerpo reclamaba secretamente una mayor atención y proponía una gestualidad caprichosa y superflua.

Durante la visita médica, Forcat permanecía en su cuarto. El doctor Barjau lo sabía y creo que a veces prolongaba el examen de la enferma por mera curiosidad y ganas de conocerle, pero el huésped no se dejó ver hasta la cuarta o quinta visita y fue de forma inesperada; se presentó en la galería cuando el médico guardaba el estetoscopio en su maletín y le pidió que recetara a Susana algo contra el insomnio. «No hay nada eficaz contra eso», respondió el doctor Barjau, y después de observarle de arriba abajo añadió con cierta brusquedad: «Salvo las ganas de soñar. Que beba mucha leche.» Pero no debió pasarle por alto la sincera preocupación que reflejaba el rostro de este hombre pulcro y envarado, su afecto por la niña, pues al serle presentado inmediatamente por la señora Anita como «un buen amigo de mi marido que está pasando unos días con nosotras», se mostró con él más explícito y amable.

—No crea usted que es broma lo de la leche —dijo sonriendo—. Tuve una paciente con insomnio, de la misma edad de Susana, y la curé a base de una taza de leche caliente todas las noches al acostarse... y los sermones radiofónicos del padre Laburu, claro está.

Soltó una risotada y Forcat sonrió, aunque creo que

no sabía muy bien quién era ese predicador. Susana se sentía mareada y su madre la acompañó al lavabo, y ellos dos estuvieron un rato hablando, mejor dicho, habló el doctor Barjau y Forcat se limitó a escuchar atentamente sus recomendaciones acerca de los cuidados que precisaba la enferma, una letanía de consejos que la señora Anita y yo nos sabíamos de memoria y que se resumían todos en uno solo: había que animarla, estimular sus ganas de comer y de vivir, y lo demás vendría por sí solo.

El doctor Barjau estaba al corriente de las andanzas del capitán y mías recogiendo firmas, y aunque alababa la iniciativa, no dudaba en calificarla de collonada risible, y lo mismo pensaba del dibujito de Susana que había de enternecer al alcalde. En su última visita, observó mi trabajo y palmeó mi espalda animosamente.

—¿Y el gas, muchacho? —bromeó—. ¿De qué color vas a pintar el gas?

—El gas es invisible —refunfuñé.

—¿En serio? ¿Eso te ha dicho el majareta de Blay? Vaya, vaya.

Tampoco Susana dejaba de pitorrearse del capitán, de la chimenea y de sus emanaciones venenosas. Mientras la dibujaba, solía mirarme tapándose la nariz como si no pudiera soportar el pestucio y simulaba desmayarse bruscamente con medio cuerpo colgando a un lado de la cama y las piernas al aire. Nunca aprobó una sola línea de este dibujo e hizo lo imposible por desanimarme y conseguir que lo dejara de lado y empezara el otro.

—Antes tengo que terminar éste y ver cómo queda —le dije—. ¿No comprendes que la cama y la galería y todo lo que hay aquí, incluido el gato y la chimenea y el gas, será igual en los dos dibujos? Sólo tú serás distinta: estarás curada.

En realidad, yo retrasaba el dibujo queriendo. Bien o mal, podía tenerlo listo en un par de semanas, tirando

109

largo, pero me gustaba estar con Susana cuanto más tiempo mejor, y por eso rompía mucho papel y repetía una y otra vez casi todo, la cama, las vidrieras, el gato de felpa, el humo negro y sobre todo ella, la pobre tísica respirando con dificultad en su lecho del dolor, según la quería ver el capitán. Tenía ciertamente dificultades al perfilar los detalles y establecer relaciones entre las partes —la desfallecida cabeza de la enferma sobre la almohada y la amenaza de la chimenea al fondo, como si fuera a caérsele encima, la simetría de las vidrieras y el garabato negro de la estufa—, pero si hubiese querido, lo habría terminado mucho antes.

4

El capitán Blay alcanzó el lado soleado de la calle, tanteó con su zapatilla harapienta el bordillo de la acera y se volvió a mirarme con los brazos en jarras, sin tambalearse. En algunas tabernas le fiaban y había días que se agarraba su buena castaña y se le trababa la lengua, pero nunca le vi tambalearse. *vacillar*

—Acércate y huele —dijo señalando la cloaca—. La gente no quiere saber nada y pasa de largo, pero ahí dentro habrá por lo menos cien mil millones de ratas muertas y una buena docena de cadáveres del servicio de mantenimiento de cloacas...

Me informó detalladamente acerca del tenebroso subsuelo de Barcelona y afirmó que toda la red de alcantarillado y galerías subterráneas contenía ya tanto gas acumulado, procedente todo él del escape de la plaza Rovira, que una pequeña chispa saltando de la rueda de un tranvía al interior de una cloaca podía hacer volar por los aires la ciudad entera con su puerto y su rompeolas, su montaña de Montjuïc y sus Ramblas siempre tan alegres y tan nuestras.

—Es una provocación clarísima —dijo sin quitar los ojos de la cloaca—. Y de nada sirve no querer enterarse o hacerse adhesivo.

Por cambiar de tema tan recurrente y obsesivo, le pregunté al capitán cuántos años tenía y dijo que el doble que Franco y la madre que lo parió, o sea unos doscientos setenta y uno, según sus cálculos.

—Toma, coge esto. —Me dio la carpeta con las firmas, se desabrochó la bragueta y se puso a orinar tranquilamente dentro de la cloaca—. Tampoco hay que compadecerse tanto de los muertos, pues ellos no saben que están muertos.

—Otra vez no, por favor —supliqué—. No me haga esto en la calle, capitán.

—Y además hay que suponer —prosiguió sin hacerme el menor caso— que no se debe estar tan mal en el otro mundo, digo yo, porque volver por aquí, lo que se dice volver con todas las de la ley, volver para seguir tragando farinetas y mierda junto a la misma mujer y bajo la misma bandera, nadie ha vuelto que yo sepa. Nadie. —Sacudió la minga oscura como un higo y la devolvió a la bragueta—. Siempre que me la guardo después de orinar, pienso en aquello que dijo aquel general al envainar la espada, pero nunca me acuerdo qué puñeta dijo exactamente...

Yo estaba furioso porque esta tarde no había podido entrar en la torre; cuando llegué vi las persianas de la galería echadas y Forcat me dijo en la puerta que Susana tenía bastante fiebre y dormía, y que sería mejor no molestarla, que volviera mañana. Sostenía una taza de achicoria con una mano y en la otra tenía un libro abierto que apoyaba contra su pecho, y percibí de nuevo aquel olor vegetal que lo rondaba. Entonces regresé a casa y, subiendo la escalera, la mala suerte quiso que me topara con el capitán. Me pidió que lo acompañara, le habían prometido unas firmas en la Travesera, dijo, y no quería ir solo. Era mentira o lo había soñado; descubrí que por la tarde el capitán estaba mucho más pirado que por la mañana. Me hizo recorrer la Travesera de Gracia desde Cerdeña hasta Torrent de l'Olla, a la ida llamando a las puertas de la acera de los números pares y a la vuelta en la de los impares, pero la única firma que conseguimos fue en una taberna y de la mano tiznada de betún de un viejo limpiabotas borracho.

De vuelta a casa, al atardecer, cuando cruzábamos la plaza Joanic, al capitán se le rompió la tira de goma que sujetaba una de sus zapatillas y se sentó en un banco, sacó del bolsillo un cordel y lo enrolló en torno al pie. Poco después, no muy lejos del cuartel de la Guardia Civil, vimos parado en una esquina a un hombre bajito con un largo abrigo negro muy ceñido, estaba acogotado y frotaba la suela del zapato en el bordillo de la acera de una forma reiterada y maniática, como si hubiera pisado una mierda de perro. Súbitamente se le disparó el brazo derecho y se quedó saludando en dirección opuesta a nosotros y con la mirada fija en no sabíamos qué, hasta que llegamos a su lado: otro peatón igualmente esmirriado y cabizbajo estaba varado con el mismo ademán en la otra esquina, a unos cien metros, saludando a su vez por respeto o contagiado por el miedo a la esquina de la manzana siguiente, donde, como en un juego de espejos que propiciara una ilusión óptica, se veía a un lejano tercer salutante con el brazo extendido a la romana que era un calco de los otros dos; inmóvil como ellos sobre la acera y de cara a la pared, acaso él sí escuchaba una arenga militar o tal vez las notas del himno nacional: era el que estaba más cerca del cuartel.

—¿Te das cuenta? —el capitán me clavó el codo en las costillas—. El gas los ha fulminado. Se ha metido en su sangre y ha paralizado sus nervios. Ahí les tienes, clavados como estacas, miserablemente gaseados en la vía pública.

—Que no, capitán —dije, armándome de paciencia—. Seguramente están arriando bandera en aquel cuartel, aunque desde aquí no se oye nada, y por eso se han parado a saludar, por respeto al himno...

No me escuchaba. Con las manos a la espalda, daba vueltas alrededor del salutante del abrigo negro parado en el bordillo.

—¿Qué le ocurre, buen hombre? —inquirió mirándole con curiosidad—. ¿Pretende usted hacernos creer que está vibrando como un capullo al son del glorioso himno, o qué? ¿Le parece bonito burlarse así de nuestro impasible ademán? Usted está gaseado y bien gaseado, señor mío, y es inútil que lo disimule.

Sin descomponer el imperial saludo ni perder de vista al otro salutante que le servía de referencia mimética en la siguiente esquina, el hombrecillo estiró el brazo con renovados bríos, hasta el punto que parecía querer desprenderse de él, y entonces captó con el rabillo del ojo atemorizado la cabeza vendada y el estrafalario aspecto del que le interpelaba y pareció sacudido por un escalofrío: aquello era peor de lo que esperaba, supongo. Tenía el medroso salutante la tez enfermiza, olía mal y llevaba tapones de algodón en los orificios de la nariz, como los muertos.

—Cuidado —musitó con un hilo de voz—. Cuidado.

—Demasiado tarde —dijo el capitán—. Usted ya está listo. Lo mejor que puede hacer es meterse otra vez en su ataúd.

El hombre le dirigió otra aprensiva mirada de reojo:

—¿Es usted un hombre-anuncio o algo así...? Si lo es circule y déjeme tranquilo, haga el favor. ¿Es que no se da cuenta? —suplicó—. En alguna parte, muy cerca de aquí, están arriando bandera...

—¿Qué bandera? —dijo el capitán.

—Pues cuál va a ser. La nuestra.

—¿No es usted un poco temerario al pararse a saludar una bandera que no ve? ¿Y si no es la nuestra? ¿O es que le pasa lo que a mí, que todas las banderas le importan lo mismo, es decir, una mierda?

—Calle, calle.

—No me da la gana.

—¿No comprende usted que hago esto por si acaso...? Nunca se sabe. Mire, aquel señor de allá también lo hace.

—Porque también él está gaseado.

—¡Y usted es un provocador o qué! ¡Nos están mirando!

—Pamplinas. Lo que de verdad debería preocuparle es que esta cloaca escupe veneno. —El capitán masculló una maldición y me miró—. ¿Lo ves, Daniel? Va uno tan tranquilo por la calle, pensando en sus cosas, y se para un momento al lado de una cloaca a saludar a un amigo o a mirar en el cielo un avión que pasa y, ¡zas!, cazado, caput. —Observó de cerca la mano alzada, de uñas largas y negras y piel amarilla, quemada en el tabaco, y seguidamente se encaró con el hombre y escrutó sus ojitos de ratón, las pálidas orejas y la pequeña media luna de espuma vegetal que afloraba en las comisuras de su boca—. Veamos, ¿puedo ayudarle en algo?

—Quite ya, majadero, no me comprometa —gruñó el hombre, cada vez más jorobado y encogido, como si temiera recibir un golpe de lo alto, pero manteniendo el brazo enhiesto.

Al capitán, en cambio, no le afectaba lo más mínimo la apresurada agitación de la calle ni las miradas fugaces de la gente que pasaba. Hacía rato que yo tiraba de los faldones de su gabardina para llevármelo, cuando él puso la mano en el hombro de su indefensa víctima:

—Bueno, ¿sabe qué le digo? Que parece usted bastante decente, habida cuenta lo que anda por ahí... Por lo tanto, ¿qué hacemos varados en dique seco? ¿Por qué no vamos a tomarnos unos vasitos de vino, eh?

En este preciso momento, el otro salutante de más allá debió advertir que el tercero y más alejado de nosotros, y al que apenas podíamos ver porque ya estaba anocheciendo, bajaba el brazo, pues de pronto él rindió el suyo, cruzó la calle encorvado y se metió en un portal. Y al verlo, nuestro hombrecillo también dejó caer su brazo, muy aliviado, farfulló adiós que te zurzan, abuelo, eres un soplagaitas, alzó las solapas de su abrigo y se escabulló hacia el paseo de San Juan arrimado a las paredes.

—Pobre diablo, va bien servido —comentó el capitán viéndole alejarse—. ¿Te has fijado en sus dientes podridos y en sus orejas transparentes? ¡Esa mala bestia no perdona!

CAPÍTULO QUINTO

1

Y así, un día que sin duda nunca olvidará, un soleado domingo de principios del verano, sin despedirse de
nadie y sin encomendarse a Dios ni al diablo, el Kim
viaja en tren a Marsella y allí se embarca en el *Nantucket*, un viejo carguero de la compañía naviera France-
Orient que navega con pabellón panameño y cuyo
capitán, un cantonés apuesto y taciturno llamado Su
Tzu, ya había recibido instrucciones de Lévy respecto a
su único y ocasional pasajero.

El *Nantucket* transporta fertilizantes y herramientas para diversos puntos del mar Rojo y del océano Índico, un cargamento de coñac y vinos franceses con destino a Singapur y piezas de recambio para los telares de la
fábrica del propio Lévy en Shanghai. El capitán Su Tzu,
que habla un francés calmoso y musical, considera al
Kim un huésped especial y le prodiga toda clase de atenciones; pone a su disposición un camarero que le servirá
las comidas en el camarote, hará su cama, lavará su ropa
y le proporcionará whisky y cigarrillos americanos.
Contrariamente a lo que esperaba el Kim, el capitán Su

Tzu no muestra el menor interés en saber por qué su extraño pasajero escogió viajar a Shanghai en un buque de carga pudiendo hacerlo más rápida y cómodamente por otros medios. Horas después de la partida, los dos ven caer la noche sobre Stromboli mientras conversan amigablemente en el castillo de proa. No tardan en descubrir su mutua afición al ajedrez y cada noche juegan una larga partida en la cabina del capitán.

Su Tzu tiene treinta y ocho años y es un chino alto, de rasgos escasamente orientales y de una elegancia y una gestualidad más bien occidentales; sólo sus párpados pesarosos y lentos, su mirada ensimismada y su boca sensual revelan su origen cantonés. Su discreción y su cortesía, incluso en el trato con la tripulación, impresionan gratamente al Kim, acaso porque éste acaba de abandonar en Francia un nido de alacranes, aquella crispación y aquella soterrada violencia de los exiliados españoles discutiendo en reuniones interminables.

El *Nantucket* cruza el Mediterráneo sin novedad, con escalas en Túnez y en Port Said antes de penetrar en el canal de Suez y seguidamente en el mar Rojo, hasta alcanzar el golfo de Adén. Hace una breve escala en Djibuti y sigue su rumbo por el océano Índico bordeando Ceilán, emboca el estrecho de Malaca afrontando violentas rachas de viento que superan los 70 nudos y tormentas de granizo y lluvia, y recala en Singapur un atardecer de calor bochornoso. Dos días después, dejando las costas de Borneo a estribor, el *Nantucket* navega hacia el norte, ya con el mar en calma, y se adentra por fin en los mares de China y en noches más cálidas y estrelladas, más propicias a la ensoñación y al ajedrez.

El viejo carguero navega lento y pesado. Su fatigada popa, con churretones de óxido y grasa, ofrece a la curiosidad ociosa de los melancólicos pasajeros del transatlántico con el que se cruza un deplorable aspecto barbudo y senil. Pero, ¿habéis estado nunca en la proa de un barco a la luz de la luna, siquiera en un carguero cochambroso como éste, acodados a la borda y con la brisa del mar en la cara, alcanzando a ver mucho más que un vasto espejo de aguas plateadas bajo la noche estrellada, mucho más que océano y noche...? Si alguna vez habéis amado un horizonte, sabréis de qué os hablo.

El pasajero insomne del *Nantucket* contempla también la espuma marina que festonea la quilla del buque abriéndose paso contra las olas, mientras su memoria habitada por espantos y fogonazos intenta recuperar el fraseo sencillo de una melodía romántica que floreció en nuestros corazones durante la guerra, una vieja canción que le unió para siempre a esta ciudad, a tu madre y a los amigos. Más tarde, fumando un cigarrillo apoyado en la barandilla de estribor, presiente en la lejanía de la costa asiática un culebreo de luces y el aroma soñado de una nueva vida. Pero una vez más no capta la señal del destino en forma de nube negra que desciende lentamente sobre el barco y amenaza con envolverlo. El carguero acaba de dejar a popa las islas de Indonesia, el mar está en calma y no hay indicios de tormenta, pero un telón tenebroso ha caído silenciosamente ocultando la noche estrellada. Se trata, según el capitán Su Tzu, de una nube ligeramente tóxica que viene siguiendo al *Nantucket* como un perro desde hace varios días, y que monsieur Franch, si me permite decirlo, añade Su Tzu con una sonrisa, no advirtió porque ni una sola vez, desde que embarcó en Marsella, ni una sola, ha mirado hacia atrás.

—Llevo ya demasiados años mirando a mis espaldas, capitán —dice el Kim devolviéndole la sonrisa—. Y estoy convencido de que eso no es bueno.

—Tal vez tenga usted razón —dice Su Tzu con su fuerte acento cantonés y un deje de tristeza—. Este humilde servidor, en cambio, si no mirara atrás a menudo, no podría seguir adelante. Y le ruego disculpe esta confidencia, monsieur.

La espesa tiniebla, que finalmente acaba por envolver al carguero, se formó probablemente en las costas de Somalia, en el confín occidental del Índico, le explica Su Tzu:

—Mañana se habrá esfumado sin dejar rastro, y aparte del desagradable olor dulzón y del leve cosquilleo que produce en ojos y garganta, es más nocivo para el espíritu que para el cuerpo. —El capitán añade con una sonrisa ahora enigmática—: Algunos marineros muy supersticiosos de la Malasia creen ver en esa nube el anuncio de una traición.

El Kim apura su cigarrillo, lo tira por la borda y mira fijamente a los ojos del chino.

—¿Y usted también lo cree, capitán?

—Lo que un servidor crea o deje de creer no importa demasiado, monsieur. ¿No le parece que aquí en cubierta el calor resulta agobiante...? Le propongo una partida junto al ventilador de mi cabina.

El Kim espera unos segundos y dice:

—¿Puedo hacerle una pregunta tal vez indiscreta, capitán Su? ¿Mantiene usted con monsieur Lévy, su patrón, una relación de amistad o simplemente profesional?

El capitán parece, de pronto, más interesado en captar alguna anomalía en el ruido de motores que sube desde el vientre del buque que en la pregunta casi impertinente del Kim: durante un rato escucha e interpreta el sordo y monótono rumor de máquinas con expresión poco complaciente, y finalmente vuelve los ojos hacia su pasajero.

—¿Sabe usted que este viejo buque tiene asma? —dice recuperando su sonrisa afable—. Y bien, ¿qué me dice de la partida?

—De acuerdo. Le daré otra oportunidad.

Desde hace varios días, el Kim espera hacerse con el libro de tapas amarillas que Lévy quiere recuperar.

Y ni las evasivas palabras ni el extraño comportamiento del capitán Su Tzu, ni esa nube supuestamente preñada con la fetidez de la traición, conseguirán debilitar su voluntad firmemente anclada en el futuro, ni por supuesto alterar lo más mínimo el rumbo del *Nantucket*.

El viaje prosigue sin incidentes y una mañana el Kim se despierta en su litera empapado de sudor; el termómetro de su camarote marca cuarenta grados. El buque recala en Saigón para cargar una partida de arroz y té de jazmín, y zarpa de nuevo hacia Hong Kong, donde los buenos oficios del capitán Su Tzu consiguen para el Kim el visado que le permite entrar en la China nacionalista. Luego el *Nantucket* navega por el mar Meridional y pasado el estrecho de Formosa inicia la etapa final que le llevará en la mañana del 27 de julio a echar el ancla en el río Huang-p'u.

Pero antes de ese día, cuando el carguero está bordeando las costas de Taiwán, al Kim se le presenta inesperadamente la ocasión de hacerse con el libro de Lévy. La noche es húmeda y calurosa y amenaza tormenta. Su Tzu y su invitado han terminado una partida de ajedrez y abandonan la cabina para fumarse un cigarrillo acodados a la borda, viendo cómo se aproxima la lluvia y los relámpagos por el noroeste; entonces aparece el segundo oficial y requiere al capitán en la sala de máquinas para un asunto urgente: dos marineros malayos se han enzarzado en una pelea a cuchillo de consecuencias graves. Su Tzu se disculpa y se va, justo en el momento que empieza a caer una tromba de agua y el Kim se refugia de nuevo en la cabina del capitán. La ocasión no puede ser más propicia. Repasa con la vista los lomos de los libros en la estantería. No enciende la luz y recibe solamente la suave claridad de un farol exterior que entra por el ojo de buey. Ve en el estante dos libros de tapas amarillas, y el primero que abre —casi sin querer, ayudado por un brusco balanceo del barco— no es el que busca, no es un libro chino, sino griego y de versos. Y de nuevo la señal que no quiere admitir, la de un cambio de rumbo, un nuevo giro que le propone el destino, salta de las páginas abiertas al azar ante sus ojos, reteniendo su atención. Durante medio minuto, el sordo fragor de máquinas en la entraña del *Nantucket* repercute en sus nervios y le hace pensar en el capitán Su Tzu, en su extraña gentileza y en sus elocuentes silencios, y, sin saber por qué, en esa pulsión subterránea y monótona del quebrantado carguero presiente la huida ya consumada del tiempo, el eco último de la precaria esperanza que lo ha traído hasta aquí, en medio del viento y las olas enfurecidas, para poner en sus manos un libro abierto en la página 77, más por efecto de un fortuito golpe de mar que por sus propias manos.

Y si en este momento hubiéramos estado allí, muchachos, si hubiéramos podido deslizarnos furtivamente en la cabina del capitán y permanecer al lado del Kim compartiendo con él las sombras y los relámpagos bajo el fragor de la tormenta, sin duda la curiosidad nos habría empujado a echar una ojeada por encima de su hombro y, durante apenas medio minuto, un instante tan breve que sin embargo ya es eterno en el corazón del tiempo y de los hombres, habríamos descifrado juntos lo que esta noche el azar puso en sus manos:

Dices: «*Iré a otras tierras, a otros mares.*
Buscaré una ciudad mejor que ésta
en la que mis afanes no se cumplieron nunca,
frío sepulcro de mi sentimiento.
¿Hasta cuándo errará mi alma en este laberinto?
Mire hacia donde mire, sólo veo
la negra ruina de mi vida,
tiempo ya consumido que aquí desperdicié.»
No existen para ti otras tierras, otros mares.

Esta ciudad irá donde tú vayas.
Recorrerás las mismas calles siempre. En el mismo
arrabal te harás viejo. Irás encaneciendo
en idéntica casa.
Nunca abandonarás esta ciudad. Ya para ti no hay otra,
ni barcos ni caminos que te libren de ella.
Porque no sólo aquí perdiste tú la vida:
en todo el mundo la desbarataste.

Lento y escorado, como si remolcara bajo la lluvia jirones de su propia herrumbre y la memoria muerta de otras singladuras, otras latitudes más templadas, el viejo *Nantucket* navega rumbo a Shanghai.

2

—¡Si me obligáis a comer todo esto, vomito aquí mismo sobre la cama! —chilló Susana.

Tanto tiempo postrada y tan mimada por su madre a todas horas, había aprendido a ejercer una suave y caprichosa tiranía que ahora aplicaba contra Forcat y las formidables meriendas que le preparaba, la para ella temible bandeja con el gran vaso de leche, el huevo pasado por agua y las tostadas con mermelada.

—Cómete el huevo por lo menos —dijo Forcat—. Yo le quito la cáscara, mira.

—No quiero más huevos. ¡Estoy harta de huevos pasados por agua!

Era la discusión de siempre, y yo me quedé un poco embobado mirando la rara mansedumbre de su frente enmarcada en los negros cabellos, su boca siempre entreabierta y levantisca, el grosor y la perfección del labio superior, y ella me increpó:

—¡¿Y tú qué miras, niño?!

—¿Lo prefieres crudo, en un vasito de málaga?

123

—sugirió Forcat—. ¿O quieres que te haga una estupenda tortilla de alcachofas, o de berenjenas?

—¡Mierda y mierda! ¡No quiero nada!

—Ya sabes lo que dice el médico —insistió él—. Muchos huevos y mucha leche... Musssa lessse y mussso güevo, que dicen los Chacón. Mussassa, come mussso si quiere ponete güena, rollissa y pressiossa...

A menudo Forcat terminaba por hacerla sonreír, pero no siempre conseguía hacerla comer. Sentado en la cama junto a la bandeja, sus dedos de piel manchada seguían descascarando el huevo mientras pacientemente argumentaba toda clase de razones para convencer a Susana de que debía comer.

La primera vez que reparé en las manos de Forcat con verdadera curiosidad no fue solamente porque me intrigara su piel de distinta coloración, sino porque, de un modo que en cierto sentido no me sorprendió, aunque luego se revelaría equívoco, las tenía posadas efusivamente en las rodillas de la señora Anita. Era un domingo al mediodía, yo había estado haciendo compañía a Susana y ya me iba porque tenía una cita con Finito para subir juntos al parque Güell a buscar hojas de eucalipto para la olla y de paso traer ginesta para adornar la galería. En el corredor, pasando ante la puerta abierta del dormitorio de la señora Anita, vi a los dos junto a la mesilla de noche, Forcat sentado en una silla y ella en el borde de la cama, descalza y con las piernas cruzadas asomando por la bata entreabierta, las manos de él sobre la rodilla encabalgada. Apenas tuve tiempo de fijarme, pero ya en esta primera y fugaz ojeada noté algo en la actitud de ambos que no encajaba con lo que ya me figuraba desde hacía algún tiempo: las manos solícitas de Forcat no parecían exactamente las de un hombre que está acariciando unas piernas bonitas, y tampoco el comportamiento de la señora Anita, arreglándose las uñas con una lima, indiferente por completo al quehacer de las manos, parecía el de una mujer que se deja acariciar. Pero la impresión fue demasiado rápida. Creí que no me habían visto y seguí mi camino, cuando la voz de ella me retuvo:

—Daniel, guapo, ¿ya te vas?

—Sí, señora.

—Ven un momento, ¿quieres?

Retrocedí hasta el umbral del dormitorio. Las rodillas brillaban tenuemente en la penumbra, las manos de Forcat se habían apartado un poco y ahora volvían a ellas con una solicitud calmosa, un extraño fervor. Creí percibir en el cuarto un olor a alcachofa cruda, sin que nada en absoluto justificara esa rara percepción. La señora Anita me preguntó si los hermanos Chacón seguían aún en la calle, le dije que me esperaban y entonces ella me pidió que le hiciéramos el favor de traer hojas de eucalipto, que se le habían acabado, y contesté que ya lo sabía por Susana y que precisamente íbamos al parque Güell con esa intención.

—¡Daniel y los leones! —Me sonrió muy contenta—. No sé qué haría sin ti.

Observé que en realidad las manos de Forcat apenas rozaban la rodilla de la señora Anita, era más bien como si con ese gesto quisiera preservarla de algo, de la luz o del aire o quién sabe qué; o como si las propias manos protectoras, tan despellejadas y desvalidas, buscaran alguna clase de alivio a la vera de la rodilla desnuda. En todo caso, cualquiera que fuese su intención, aquellas manos no parecían el instrumento de ninguna caricia, y si lo eran, significaba para mí algo nuevo y perturbador, pues ni siquiera tocaban la piel. Encorvado en la silla y abstraído, poniendo en su cometido la mayor atención, Forcat no volvió los ojos hacia mí ni una sola vez. Llegué a sentirme un poco aturdido: aquello no se ajustaba a ciertas tórridas escenas que más de una vez, cuando la pareja nos dejaba a solas en la galería a Susana y a mí, pasaban por mi imaginación, y por la de la enferma seguro que también. Aquello parecía —me sentía por aquel entonces fuertemente atraído a pensarlo— algo mucho más excitante.

—Ah, y de paso me traes una peseta de hielo y una garrafita de vino —añadió ella—. La garrafa y el dinero están en la mesa del comedor.

—La dejaré en la taberna y la recogeré a la vuelta...

—Eres un cielo, Daniel. —Volvió los ojos hacia Forcat sin dejar de limarse las uñas—. ¿Verdad que este chico es un encanto?

Forcat no dijo nada. Cuando me disponía a marchar, la señora Anita descruzó las rodillas pero él siguió cubriendo la misma, la izquierda, con ambas manos y tan paciente y tan ensimismado que parecía un afilador volcado sobre su humilde tarea manual, algo que días después aún me estaba preguntando qué sería, si una caricia singular o un juego o un rito secreto, o acaso todo eso a la vez.

Este domingo la madre de Susana no fue al Mundial, había convenido con la otra taquillera del cine un intercambio y tenía la tarde libre. Hacia las cinco, cuando Susana y yo esperábamos a Forcat en la galería, oímos un taconeo apresurado.

—Susanita, vamos a salir un rato. —La señora Anita entró ciñéndose el ancho cinturón blanco que la hacía tan esbelta. Llevaba un airoso vestido estampado con botones blancos de arriba abajo, zapatos blancos de tacón alto y un collar de corales. Lucía medias finas de gruesa costura, se había pintado los labios y estaba muy guapa con su rubia melena rizada. Me quedé un poco embobado mirándola y me sonrió—: ¿Te quedarás a hacerle compañía a mi niña hasta que volvamos?

—Sí, señora.

—¿Adónde vas? —dijo Susana.

—A pasear por las Ramblas y el puerto, creo.

—¿Sola?

—Claro que no. Con el señor Forcat.

—¿Con el señor Forcat? ¿Y nosotros qué?

—Ah, lo siento mucho. Esta tarde me la dedica a mí.

Besó a su hija, se fue por el corredor y enseguida la vimos cruzar la verja del jardín en compañía de Forcat, que escudaba sus ojos tras las gafas de sol y vestía un sobado y grueso traje gris que debía resultarle caluroso. La señora Anita se colgó de su brazo y, volviéndose ágilmente para mirar por encima del hombro, levantó la pierna por detrás y con la otra mano enderezó la costura de la media, riéndose. Inmóvil, atento, un poco solemne, Forcat le ofrecía el brazo esperando que terminara el retoque.

Tras los cristales de la galería, Susana se echó a reír y dijo que formaban la pareja más ridícula que jamás había visto, y que parecían una antigualla los dos.

Era la primera vez que salían juntos a la calle. Los Chacón no aparecieron en toda la tarde. Susana se abrazaba a su gato, pensativa, y me pidió que fuera en busca de un pintalabios de funda plateada que estaba en el cuarto de baño de su madre. Cuando se lo traje tiró el gato de felpa, se destapó y se arrodilló saltando sobre la cama, me enseñó los dientes agarrando el pintalabios con ambas manos y vi cómo su boca, repentinamente adulta tras los primeros toques, se encendía más y más a cada enérgica pasada de la barra de carmín. Luego bajó el volumen de la radio, volvió a meterse entre las sábanas y se durmió, y yo me cansé de dibujar y de contemplarla sin obtener más que desazón y ansiedad y me puse a hacer solitarios en la mesa camilla.

Forcat y la señora Anita regresaron al anochecer y parecían muy animados, ella no regañó a Susana al ver aquella formidable capa de carmín rojo cereza en sus labios, pero examinó su pañuelo por si contenía algún esputo, luego fue a cambiarse de ropa y volvió con un vaso de vino que se bebió de un trago, lo llenó de nuevo y se lo llevó a su cuarto con el cojín de encaje de bolillos. Mientras, en la cocina, Forcat preparaba algo para la cena. Al poco rato apareció en la galería sonriendo, las manos dentro de las amplias mangas del quimono, y, con cierto rebuscado misterio y en voz baja dijo:

—Susana, adivina lo que te traigo.

—Un frasco de colonia. No, un polo de limón.

Forcat se sentó en la cama.

—En el puerto hemos visitado un paquebote francés todo blanco, muy bonito —dijo—. El capitán es amigo mío y de tu padre. Mientras un oficial le enseñaba a tu madre la sala de fiestas, el capitán me dio esto para ti.

—¿El capitán Su Tzu? —preguntó Susana.

—No. Otro capitán —sonrió Forcat y añadió—: Nuestro capitán Su Tzu está navegando cerca de las costas de Taiwán, ¿recuerdas?

—Sí... ¿Qué es esto?

—Ábrelo y lo sabrás.

Era un sobre marrón y sin franqueo que llevaba escrito, en una caligrafía que hizo que los ojos de la enferma se iluminaran súbitamente, el nombre de Susana. Dentro había una postal donde se veía una antigua pagoda china en la que se combinaban los colores amarillo, rojo y negro. El reverso traía la letra apretada y nerviosa del Kim:

Querida Susana, mantén vivo tu sueño. Cuando te escribo esta postal, en Barcelona serán las seis de la tarde y aquí en Shanghai es la una de la madrugada. Me gustaría que cada día, a las seis en punto de la tarde, pienses en mí, y yo aquí en este mismo instante pensaré en ti. ¿No te parece divertido? Así, nuestros pensamientos se unirán a través de mares y continentes en espera del día que podamos pasear juntos por el Jardín de las Alegrías. Recuerda: a las seis. Imagínate a tu padre sentado a esa hora a la barra del Silk Hat, el cabaret más elegante de Shanghai, con una copa de champán en la mano y escuchando una canción que a tu madre le gustaba mucho. Y brindando por ti. Estoy todavía de incógnito en esta maravillosa ciudad —por razones que ya te contaré algún día—, así que de momento prefiero que no me escribas. Recibe mil besos y come mucho para curarte pronto. *An miás!* (quiere decir en chino: dulces sueños). Tu padre que te quiere,

KIM.

3

Susana deseaba un buen mapa para seguir el rumbo del *Nantucket* y un día los Chacón se presentaron en la torre con un atlas nuevo de trinca, que no supieron explicar de dónde procedía. Ella me pidió que trazara con lápiz rojo la derrota del buque sobre el azul intenso del mar, desde Marsella hasta Shanghai, a lo ancho de dos láminas y recalando en los puertos más importantes del Mediterráneo, del Índico y de los mares de China. Luego supimos que Finito había robado el atlas a un escolar que le dio a guardar la cartera mientras buscaba a su madre en el Mercadillo, y Susana obligó a Finito a devolver el atlas; pero antes de hacerlo él dijo que era una lástima y propuso arrancar las láminas con la ruta del *Nantucket*. Susana reflexionó sobre el asunto y finalmente dijo que no, que el chaval se daría cuenta que faltaban hojas, y entonces sugirió que yo copiara la ruta en un papel de barba, con las costas, las ciudades y las islas utilizando colores distintos. Lo hice y Susana guardó el mapa en el cajón de su mesilla de noche junto con sus programas de cine y sus recortes, el cepillo del pelo, el espejo de mano y el esmalte nacarado para las uñas.

Cuando le enseñamos el mapa a Forcat, éste me hizo ver un error señalando ante mis narices la costa occidental de la India con su largo dedo manchado: el *Nantucket* no había recalado en Bombay. La proximidad del dedo y su olor tan peculiar me sumió de nuevo en el desconcierto: esta vez me hizo pensar en la áspera fragancia de las hojas de la higuera.

Más tarde, al pararse a mi lado para echar un vistazo a los garabatos que pretendían representar a Susana en la cama, tuve ocasión de observar sus manos muy de cerca y durante un buen rato, mientras me hablaba:

—¿Por qué no pruebas primero a perfilar la cama? ¿De verdad te gusta dibujar, Daniel? ¿O lo haces por complacer al cantamañanas de Blay? —Y bajando la voz añadió—: ¿Es eso lo que te gustaría ser de mayor, dibujante?

Su delgada sonrisa me animaba a la confidencia.

—No sé... Lo que me gustaría ser —dije ingenuamente— es pianista.

Me arrepentí en el acto de haberlo dicho, avergonzado ante la idea de que pudiera adivinar mi secreta vena romántica, mi confusa fascinación por ciertas sombrías imágenes de Anton Walbrook interpretando al piano el Concierto de Varsovia bajo el fragor del bombardeo y de los focos antiaéreos...

—¿Pianista? ¡Vaya, eso es estupendo! —Forcat siguió un rato atento a las torpezas de mi lápiz y me vio torturar una y otra vez la colcha celeste, un poco descolgada del lecho porque me parecía lograr así cierto efectismo estético; pero se me resistían los pliegues, que yo pretendía tercamente copiar del natural. Y de pronto su mano me arrebató el lápiz y, con rapidísimos trazos y una soltura asombrosa, hizo surgir ante mis ojos unos pliegues largos y magníficos que tenían poco que ver con el original, pero que le otorgaban al cubrecama del dibujo una grávida elegancia y una textura tan real y convincente que yo nunca habría imaginado.

Por cierto que ésta fue la primera y única vez que le vimos exhibir sus habilidades con el lápiz. Me atizó un coscorrón y se fue a la cocina a servirse una taza de achicoria y a preparar la merienda de Susana, pero sus manos manejando el lápiz se quedaron un buen rato ante mis ojos y tan cerca que sentía en el rostro la cálida efusión de la sangre, la pulsión de sus venas abultadas y oscuras. En primer lugar, el suave olor a alcachofas que capté en el dormitorio de la señora Anita se confirmó plenamente; en realidad, yo nunca había sido consciente del olor de las alcachofas crudas, ni tampoco si ese olor era lo bastante intenso, característico e inconfundible como para distinguirlo de otros olores, y desde luego no me explico por qué esas manos elegantes pero de piel tan maltrecha me sugerían el olor de la alcachofa. Se trata de una convicción enquistada en el recuerdo, una particular devoción a mi propio jardín de la infancia. Ciertamente, hay no pocos aspectos de la personalidad de aquel hombre y de mi comportamiento hacia él que nunca supe explicarme. No he conocido a nadie en toda mi vida que haya sido capaz de suscitar tantas expectativas, tanta complicidad y gentileza ante formas muy diversas de sugestión con sólo apoyar la mano en tu hombro y mirarte a los ojos. Inmediatamente después de haber percibido ese aroma que sólo podría definir de forma tan precaria, contingente y devota, la mano que movió el lápiz ante mis narices con tanta maestría me envió también una calentura sosegada y persistente, su extraño fluido, suaves oleadas de una combustión vegetal que parecía nutrirse de la propia piel manchada; como si acabara de exponer la mano al calor de la estufa.

Más tarde, recostada entre el montón de cojines y con el volumen de la radio muy alto, Susana parecía adormilarse con una revista abierta en el regazo, junto al gran ramo de ginesta que Finito y Juan habían traído por la mañana. La tarde era soleada y hacía mucho viento, en el jardín las ramas desmelenadas del sauce azotaban la vidriera y Susana acabó por despabilarse y se desperezó sentada en el lecho. Había que esperar a Forcat y mientras tanto yo me entretenía perfilando sin la menor convicción la omnipresente chimenea y su ponzoñoso humo, la siniestra sombra amenazando a la enferma que había de suscitar la compasión de las autoridades, según las optimistas previsiones del capitán Blay, cuando, ya un poco impacientes tanto ella como yo porque esta tarde Forcat retrasaba sus quehaceres y por tanto la continuación de su relato, fuimos testigos de algo que no sé si calificar de pequeño prodigio o de vulgar juego de manos.

Ocurrió que el huésped de la señora Anita volvió de la cocina llevando ceremoniosamente la bandeja con la merienda de Susana. Con gestos pausados y medidos, envuelto en su quimono de seda, depositó la bandeja en la cama y se sentó al lado de Susana. Desganada como siempre y refunfuñando, la muchacha se enfrentó al gran vaso de leche de vaca y al bocadillo de pan con tomate y jamón vencida de antemano. En estos momentos yo la compadecía de veras; por la mañana ya le hacían tragarse un tazón de leche de vaca aún más grande y otro enorme bocadillo. La verdad es que las rebanadas de pan con tomate tenían siempre una pinta estupenda y pedían a gritos cómeme, Forcat las preparaba con mimo y era un sabio en estos menesteres, puedo decirlo porque más de una vez fui invitado a merendar con Susana; pero ella recibía invariablemente la bandeja con muecas de asco, y además hoy parecía muy cansada y más irritable que de costumbre, respiraba mal y a ratos se abandonaba a una somnolencia desasosegada. No quiso comer y tampoco probó la leche, a pesar de las súplicas de Forcat. La bandeja quedó sobre la cama y Susana se dedicó a cepillarse el pelo, pero lo dejó enseguida y empezó a buscar en la radio otra emisora con música. Sentado en el borde del lecho, Forcat volvió a la carga:

—Si no comes, nunca sabrás cómo llegó tu padre a Shanghai ni porqué su amigo Lévy le pidió que robara para él un libro...

—¿Por qué le pidió eso?

—No te lo imaginas. Te va a sorprender.

Susana bajó la vista, enfurruñada. Reflexionó un rato y dijo:

—¿Por qué no vino primero aquí, para irnos juntos? Yo entonces aún podía viajar estando enferma...

—No podías. Y él embarcó para una misión muy especial y peligrosa. Tenía que ir solo.

—Nunca he viajado en barco, pero seguro que no me mareo... Seguro.

—Te cuento el resto si te bebes la leche y pruebas a zamparte por lo menos una rebanada de pan, sólo una. Y el jamón, que es muy caro y a tu madre no le regalan el dinero. Anda, sé buena chica...

—Menos cuento, va —cortó Susana—. Sólo quiero saber una cosa.

—Qué.

—¿Es alto mi padre?

—¿Es que ya no te acuerdas?

—Aquella noche que vino a verme estaba agachado...

—El Kim es más bien alto.

—¿Cómo iba vestido cuando subió al barco que lo llevó a Shanghai?

Forcat escondió las manos en las mangas del quimono y ladeó la cabeza sonriendo:

—Ajá, niña, eso no vale. Ya son dos las cosas que quieres saber. Tendrás que pagar. Un bocado o un sorbo de leche, escoge. —Se volvió hacia mí—. ¿No crees que si quiere satisfacer su curiosidad debe pagar, Dani?

—Claro —dije—. Se pondrá muy gorda, pero que pague. Sí, que pague.

—¡Tú calla, mocoso, y a ver si terminas esta mierda de dibujo!

Agarró las tijeras y las blandió contra mí, pero se calmó enseguida y se puso a recortar una foto de la revista en la que se veía a Judy Garland siguiendo el camino de las baldosas amarillas. Luego tiró las tijeras sobre la cama, miró a Forcat con ojos furiosos y gritó:

—¡Me importa un bledo ese asqueroso barco y los que van en él! ¡¿Supones acaso que me chifla todo lo que se refiere a mi padre?! ¡¿Crees que no sabemos vivir sin él en esta casa, eh?! —Forcat no dijo nada y ella añadió—: ¡Por mí ya se puede ir adonde quiera, en barco, en avión o en patinete, no le necesito para nada!

—Cálmate —dijo él—. ¿Por qué te comportas así? Normalmente eres una chica dulce y obediente...

—¡No quiero ser una chica dulce y obediente, a la mierda con las chicas dulces y obedientes, ¿te enteras?!

—Enterado.

Susana calló un rato, estuvo manoseando su gato de felpa y luego dijo:

—¿Y has estado en muchos sitios con mi padre? ¿En Shanghai también?

—Estuve mucho antes que él. De joven fui camarero en un barco y viajé mucho. Conozco la ciudad como la palma de mi mano.

Susana me miró y después miró la bandeja con la merienda.

—Si no me crees —dijo Forcat—, pregunta a tu madre.

—Ya lo hice —murmuró ella, y cerrando los ojos

añadió—: Pero la leche y la sobrealimentación esa que dice el doctor Barjau te la metes en el culo. Si me zampo este bocadillo, vomito, fíjate.

—No digas tonterías. Vomitarás algún día en un barco, eso sí, y de verdad que me gustaría verlo... Bebe la leche por lo menos, mientras te cuento algo que te va a interesar.

Susana abrazó el gato y no dijo nada, se miró detenidamente las uñas nacaradas, acomodó la almohada a su espalda y después, con evidente desgana y muy despacio, alargó el brazo y alcanzó el vaso de leche. Pero la leche se había enfriado y volvió a dejar el vaso con un mohín no sé si de contrariedad o de alivio.

—Grrrrr... La leche fría me repugna a más no poder.

—Veamos.

Entonces ocurrió. Forcat cogió el vaso y lo sostuvo rodeándolo con ambas manos muy delicadamente, como si temiera dejarlo caer pero al mismo tiempo no quisiera tocarlo —como si el vaso, contrariamente a lo que había dicho Susana, quemara—, y permaneció así quieto durante dos o tres minutos. Me acordé de sus manos rondando las rodillas de la señora Anita: el mismo fervor y la misma concentración en el gesto, la misma tensión en el cuerpo.

Cuando devolvió el vaso a Susana, la leche estaba caliente. Susana no se lo creía y yo tampoco, hasta que toqué el vaso. A mí me han hecho comulgar con ruedas de molino muchas veces en mi vida, pero juro por mi madre que aquella tarde no: Susana y yo metimos el dedo en la leche y pudimos comprobar que ardía como si acabara de ser retirada del fuego.

On m'a fait fandre des verres f. des lanternes

Estábamos en la cabina del capitán Su Tzu, si no recuerdo mal, en el momento en que el Kim, después de devolver al estante el libro de tapas amarillas, pues no es el que busca, abre el otro y ve en su interior las bellas ilustraciones que Lévy le mencionó.

La tormenta ha pasado y se aleja rápidamente a estribor, el cielo se abre y de nuevo brillan las estrellas. El Kim se arrima al ojo de buey buscando más luz y hojea el libro; tal como Lévy le dijo, en la primera página, junto a una dedicatoria personal en tinta roja y caracteres chinos, hay una mancha de carmín. La penumbra le impide ver la mancha con claridad, pero sabe que el libro que tiene en las manos es el que interesa a Lévy. Entonces cree oír un ruido a su espalda y se vuelve; no ve a nadie. La puerta de la cabina, entornada, golpea con intermitencia en el quicio, y al otro lado del ojo de buey, donde el mar oscila suavemente bajo la luz de la luna como un gran párpado plateado, una sombra furtiva se esfuma.

Vuelve a su camarote con el libro y poco después, echado en la litera, lo abre de nuevo y observa el borrón de carmín con más detenimiento. En realidad no es una mancha, sino dos: se trata de la marca de unos labios femeninos, el estampado perfecto de una boca pintada que depositó allí un beso carmesí, junto con la dedicatoria y la firma. ¿A quién iba dedicado este beso, a Michel Lévy o al capitán Su Tzu, o tal vez a ninguno de los dos...? Los labios se ofrecen risueños y carnosos, un poco abiertos y estriados, y parecen surgir de la nada, fantasmales y obsesivos. La rara perfección y la fuerza de la impronta transmiten la vida intensa y ardiente, el arrebato y el fuego que durante un breve instante abrasó la boca y que ésta grabó en la página, del mismo modo que se grababa ahora en la memoria del Kim: espectral y desflorada, surgida de la pálida nebulosa del papel como una herida.

Envuelve el libro en un jersey y lo guarda en su maleta. Dice el Kim que el resto del viaje por el mar de la China Meridional se le hizo interminable. Al anochecer, por entretenerse, mide en el reloj la duración del crepúsculo estático para comprobar que se prolonga casi más que la misma noche, confundiéndose con la aurora. Durante varios días sopla un viento del este que arde en la piel. La última noche a bordo, el capitán Su Tzu lo invita a cenar en su cabina y el Kim lo encuentra más reservado que de costumbre, pero cortés y amable como siempre.

A las ocho de la mañana del día siguiente el *Nantucket* avista la bahía de Hangzhow y poco después de remontar las aguas fangosas y fatigadas del río Huang-p'u se dispone a atracar en el muelle sorteando un hervidero de lanchones y gabarras, pesqueros y juncos. Delante de un flamante Packard negro aparcado en el embarcadero, un asiático bajito y rechoncho impecablemente vestido espera al Kim: es Charlie Wong, el socio de Lévy, un híbrido sonriente y vivaz de francés e indochino que ya ha resuelto los trámites de la aduana antes de que el Kim desembarque. Mientras el Kim permanece acodado en la borda esperando que termine la maniobra de atraque, nuestros oídos captan por vez primera el vasto rumor de Shanghai y nuestros ojos maravillados no acaban de creerse lo que ven. Bajo un cielo intensamente azul, una hilera de soberbios rascacielos custodia la ciudad legendaria.

—Le estoy muy agradecido por sus atenciones. —El Kim se despide del capitán Su Tzu y estrecha su mano—. Tal vez tengamos ocasión de volver a vernos, capitán, y entonces podré explicarle ciertas cosas.

Su Tzu sonríe gentilmente y se inclina.

—Los buenos amigos son malos mentirosos —dice—. Como en la poesía de Li Yan, ciertas cosas se manifiestan sin necesidad de nombrarlas.

—Estoy convencido. Dicen que mentir puede ser también una forma de respeto. Ha sido un placer conocerle, capitán.

—Buena suerte, monsieur.

—Lo mismo digo.

En medio del trajín frenético y del vocerío melodioso de los muelles, segundos antes de meterse en el automóvil que ha venido a recogerle, el Kim se siente atrapado en uno de esos instantes mágicos en que el corazón presiente cosas que la mente no alcanza a entender, y súbitamente lo asalta una certeza: lo que después de tan largo viaje le espera aquí, lo que él ya capta en el aire, porque de algún modo lo exuda el río pestilente y flota en la atmósfera húmeda y sofocante de Shanghai, no es lo que ha venido a buscar, no es el cumplimiento de una venganza o un ajuste de cuentas con la historia, no es la bala certera que un criminal se merece o la compasión por el amigo inválido, y ni siquiera es el anhelo o la esperanza de traerse a Susana un día no muy lejano, sino algo mucho más hondo y secretamente desesperado: el deseo inconfesado, la dolorida ansiedad de borrar con esa última bala todo vestigio de un pasado que le abruma, lograr que desaparezca de una vez por todas cualquier rastro de una humillante e interminable derrota personal. Matarse él al matar a Kruger, a eso ha venido: una bala para dos.

Chen Jing Fang, la esposa de Michel Lévy, le recibe en la terraza-jardín de su lujoso apartamento, uno de los pisos altos de un rascacielos del Bund próximo a Nanking Road. Su acogida es cortés, pero reticente; acata las instrucciones de su marido, dará hospitalidad al Kim y dejará que la custodie día y noche, pero no comparte su preocupación ni ve la necesidad de ser protegida.

—No me siento amenazada por nadie ni por nada...

¿Me escucha, monsieur? —añade Chen Jing viéndole absorto.

El Kim parece volver en sí, sin dejar de mirarla.

—Disculpe —dice—. Haré todo lo posible para no causarle molestias en mi trabajo, pero su marido tiene razones para hacer lo que hace. El peligro es real, madame, y todas las precauciones serán pocas.

La mujer de Lévy es una china de veinticuatro años y singular belleza, un poco hierática y altiva. Viste un elegante *chipao* de seda celeste y cuello alto, sin mangas y abierto en los costados, y lleva el pelo negrísimo recogido en un moño traspasado por agujas de jade. Al igual que le había pasado ante la primera visión de la ciudad de Shanghai desde la cubierta del *Nantucket*, el Kim siente ahora repentinamente la necesidad de rearmar su precario concepto del destino que lo ha traído hasta aquí, frente a esta hermosa china. Detenidamente, como si estuviera reconociendo una por una las facciones de alguien que cree haber visto hace muchos años o acaso haber soñado, el Kim admira la hermosa frente nacarada, las cejas finas y altas, los ojos de miel, la barbilla suavemente replegada y, sobre todo, la boca con su rojo destello de carmín: nada más verla, sabe que esa boca de labios llenos es la misma boca espectral y misteriosa que arde amorosamente entre las páginas del libro robado en el *Nantucket*. ¿Por qué estaba el calco de esa boca secuestrado en la cabina remota de un sucio carguero, navegando incesantemente de un mar a otro como si alguien intentara así preservar su antiguo fuego...?

Ante las precauciones que aconseja tomar el Kim respecto a su seguridad personal, Chen Jing sonríe discretamente, tal vez convencida, pero es una sonrisa fría y enigmática. Luego le anuncia que su habitación de huéspedes está dispuesta y llama a un viejo sirviente chino que responde al nombre de Deng. En la casa hay también una doncella siamesa, un cocinero y la *Ayi*, una especie de chacha de confianza al servicio particular de la señora, según el Kim no tardará en saber. Chen Jing habla un francés sosegado y nada gutural, con una cadencia suave y una voz espigada y luminosa. Se educó en el *lycée français* de Shanghai y procede de una familia de ricos comerciantes de Tianjin que en los años veinte prosperó rápidamente al instalarse en pleno corazón de la concesión francesa, en la rue du Consulat, traficando con opio.

Antes de retirarse, Chen Jing advierte al Kim que sus muchos compromisos sociales la obligan a salir casi todas las noches. Hoy mismo tiene que asistir a un cóctel en el Cathay Hotel.

—Supongo que querrá usted acompañarme —añade dirigiendo su parsimoniosa mirada al traje bastante arrugado de su huésped—. Pero sin duda lo que ahora desea es disfrutar de un buen baño y descansar un rato. Deng le atenderá en todo lo que necesite... Le doy la bienvenida y espero que se encuentre a gusto en mi casa, monsieur Franch.

—Y yo espero no causarle demasiadas molestias, madame.

En su habitación, mientras Deng le prepara el baño, el Kim vacía la maleta y discretamente pone a recaudo el libro de Lévy sustraído. Repite el nombre mentalmente: Chen Jing Fang, y se dice qué bien suena, una suave caricia en los oídos y en la sombría memoria de lo que le trae aquí, preservarla de cualquier peligro, Jing la quietud, y Fang la fragancia. La habitación es amplia y luminosa y flota en ella un aroma dulce y amansado de muebles y objetos laqueados. La gran puerta corredera de cristal abierta a la terraza deja penetrar también la delicada fragancia de las flores, y el Kim sale a contemplar el río que se retuerce como una serpiente hacia el este de la ciudad bajo una neblina azulosa.

Conforme avanzaba en el dibujo de Susana sentía crecer en mi interior una sensación de dependencia y cada día me veía más prisionero de un decorado venal y falso, una escenografía artificiosa que de ningún modo hacía justicia a las delirantes expectativas del capitán Blay ni a las apasionantes historias que nos contaba Forcat al atardecer: mi Susana en colores nunca sería el pálido espectro de la muerte que quería el capitán ni la delicada muñeca de porcelana y de seda que la propia Susana quería enviar a su padre. Yo no era capaz de reflejar siquiera el entorno; había diseñado la galería como si fuera un invernadero, tal como la veía, pero en mi invernadero trazado a lápiz nada podía florecer; había intentado reproducir en el papel la frente tersa de Susana y también la rosa aterciopelada y cada día más encendida de sus mejillas, y sólo conseguí el pálido remedo de una pepona sin vida. Lo había comentado con los Chacón: día tras día, la enfermedad la hacía más hermosa y más amiga, más nuestra, más a la medida de nuestras calenturas; transpiraba una sensualidad contagiosa, húmeda y cálida, que de algún modo yo me propuse apresar con el lápiz y que naturalmente no conseguí.

Éste era el dibujo para el capitán Blay y que Susana llamaba burlonamente «el dibujo de la pobre tísica birriosa y la babosa chimenea». El otro, destinado a su padre, apenas lo tenía esbozado y se me antojaba mucho más difícil. Una noche soñé que rompía ese dibujo en mil pedazos y que empezaba a trazar en tinta china la desgarbada silueta del *Nantucket* navegando hacia Extremo Oriente llevándonos a Susana y a mí de polizones, acurrucados en un rincón de la bodega.

—¿Quieres oír los ruiditos que hace mi pulmón enfermo? —dijo Susana.

—¿Se pueden oír...?

—Pues claro, borrico. Ven, acércate. Siéntate aquí, a mi lado. No tengas miedo, hombre, que no te infectaré con mis microbios...

Echó la cabeza atrás y me ordenó pegar la oreja a la altura de su esternón. Lo que hice con toda clase de prevenciones. Contuve la respiración. Entonces ella cogió mi cabeza con ambas manos, la bajó un poco y, moviéndola suavemente en sentido rotativo, con una parsimonia no exenta de energía, la restregó sobre su pecho izquierdo.

—¿Lo oyes? —me preguntó, y yo no pude evitar un resoplido—. ¿Qué te pasa, atontado, vas a estornudar...?

—Pues no sé, me parece oír algo ahí dentro, pero no sé...

—¿Sí o no? Pon la cabeza bien, así... Dicen que es como un zumbido en una caverna. ¿Lo oyes...?

—¿Como un zumbido?

Ahora podía oír su corazón. Y el mío. Insistí:

—¿Has dicho como un zumbido...?

—Sí, eso he dicho, ¿estás sordo, niño?

—Bueno, pues lo que oigo ahora... no es como un zumbido. A ver, espera un momento...

—Pues yo te digo que es como un zumbido. Para bien la oreja, bobo. ¿Lo tienes o no? —Movió suavemente mi atolondrada cabeza con sus manos, centrando la mejilla sobre el pecho que ardía como el hielo—. ¿Qué te pasa, tienes tapones en los oídos o estás como una tapia?

Una oleada de calor me subió a la cara y un desasosiego creciente se apoderó de mí, como si a través del pecho erguido de Susana el carcomido pulmón me transmitiera su fiebre maligna y su encono. Sentí en la mejilla la suave firmeza del pecho y el rebrinco del pezón, y cerré los ojos; pero ella no parecía estar en eso, no esquivó el contacto ni apartó mi cabeza, y su voz era fría y desdeñosa:

—¿Oyes algo o no, niño? Venga, espabila. ¿Y por aquí...? —Sus manos volvieron a desplazar mi cabeza, y el pezón cada vez más duro y firme seguía rebrincando bajo la fina tela del camisón—. ¿Lo oyes ahora? ¿Y aquí...?

—Algo, pero... con claridad, no. Todavía no.

Solté otro resoplido y ella dijo:

—¿Qué haces, te estás durmiendo o qué? —Cogió mi mano y la llevó a su frente—. ¿Notas la fiebre? Siempre esta mierda de decimitas... Bueno, qué, ¿no oyes nada?

—Sí, ahora creo que sí. Espera...

—¡Anda ya, listo, vete a hacer gárgaras!

Bruscamente apartó mi cabeza y al verme colorado, supongo, al detectar en mis ojos la excitación, se echó a reír, recuperó su gato de felpa, me dio la espalda y encendió la radio de la mesilla de noche.

Después se levantó para rehacer un poco la cama y alisar la colcha, y yo me senté de nuevo en la mesa camilla.

—Daniel —dijo Susana al cabo de un rato, ya recostada en el lecho—. ¿Sabes qué he pensado?

—Qué.

—He pensado que en el otro dibujo, el bueno, quiero llevar un vestido como el de Chen Jing para darle una sorpresa a mi padre... Ese vestido tan bonito, ajustado y con cortes en la falda. Quiero que me dibujes echada en la cama vestida así y como adormilada, así, mira... ¿Me escuchas, atontado? ¡Pero qué chico más lelo!

—Perdona... ¿Y de qué color te gustaría?

labio dialecto asturiano

—Verde —dijo—. O negro, totalmente negro y de seda natural... No, verde, verde. Y sin mangas y de cuello alto. ¿Qué te parece? ¿Me oyes, niño? ¿Estás en babia o qué?

Aún sentía en la mejilla la firmeza elástica y dulce de su pecho, y no podía, no quería pensar en otra cosa. Ella no insistió y se quedó tumbada en la cama pensando y poco después me pareció que se adormilaba con el gato en los brazos, pero en cierto momento noté sus ojos semicerrados y burlones mirándome por entre las orejas del felino y al ras de la colcha. *contra/vol.*

Cuando los días empezaron a ser calurosos, Forcat dejó de encender la estufa, aunque encima siguió humeando la olla con agua y hojas de eucalipto que él calentaba en la cocina, y así mantenía húmeda la atmósfera de la galería, tal y como había aconsejado el doctor Barjau. Una tarde que llegué a la torre con retraso me encontré en la puerta a la señora Anita que se iba a trabajar y me dijo que la señora Conxa estaba con Susana y que Forcat aún dormía la siesta. Al asomarme a la galería vi a la mujer del capitán inclinada sobre Susana y frotando su espalda desnuda con una toalla que mojaba en una cacerola de agua previamente hervida con la flor del saúco. Decía la gorda *Betibú* que estas friegas eran buenísimas para reforzar la fibra pulmonar, para la circulación sanguínea y para la piel delicada de las niñas bonitas. Estaba de espaldas a mí y no me vio entrar, pero Susana, echada de bruces sobre la cama con el camisón bajado hasta la cintura, sí me vio parado en el umbral, y no dejó de mirarme con ojos maliciosos mientras se dejaba restregar la espalda enrojecida y húmeda, y cuando la *Betibú* le atizó una palmadita en el culo y le dijo: «Ara el pitet, maca», ella siguió mirándome con la misma insolencia burlona mientras se volteaba muy despacio tapándose apenas los pechos con el brazo, y me sacó la lengua. Entonces doña Conxa debió notar algo y se volvió, pero no le di tiempo a verme porque me eché para atrás y me senté a la mesa del comedor a esperar.

Como la sesión de friegas se prolongaba, abrí mi carpeta y tracé de memoria un apunte del gato de felpa sentado muy tieso en la cama, como si custodiara la desfallecida cabeza de la enferma, y me salió bastante bien, salvo el hocico. Empezaba a hacer calor y las hierbas de la *Betibú* enardecían aún más la atmósfera. La gorda salió de la galería, llevó la cacerola a la cocina y luego pasó por mi lado sin verme, balanceándose sobre sus pesadas piernas y dejando en el aire un aroma enervante, una confusa mezcla de sudor y flores estrujadas.

Cuando entré en la galería, Susana estaba estirada boca arriba en la cama, destapada, con los pies desnudos y juntos, los ojos cerrados y las manos cruzadas sobre el pecho. Me acerqué de puntillas a la cama y dije hola, pero no me contestó, permaneció completamente inmóvil haciéndose la muerta, de modo que pude observar impunemente y durante un buen rato la turbadora gravidez del camisón adherido a sus ingles, y también me fijé en su cuello blanco y largo, donde la nuez se movió furtivamente bajo la piel. Con los párpados cerrados, sus ojeras parecían más profundas y violáceas y su morbidez más acusada. La boca entreabierta dejaba ver una mancha roja en los dientes superiores. Enhiesta sobre el pecho pinzada entre los dedos de la mano, una hoja de bloc con un mensaje para mí escrito con el pintalabios de su madre:

PRÍNCIPE BOBO
DAME UN BESO
Y DESPERTARÉ

Lo leí un par de veces, volví a mirar la boca entreabierta de la bella durmiente y los dientes con su leve marca sanguinolenta, la boca que ofrecía la savia de los sueños mezclada con la secreción de la tisis, y cuando por fin me decidí y me inclinaba sobre ella encendido y con el corazón alborotado, había perdido unos segundos decisivos, porque Susana abrió súbitamente los ojos y me dedicó aquella sonrisa esquinada que yo conocía tan bien. Deslizó la mano debajo de la almohada y sacó un pañuelo salpicado de manchas rojas que agitó frenéticamente ante mis ojos. Capté al instante el olor a agua de colonia del pañuelo y otro efluvio afrutado y graso cuyo origen debería haber adivinado, pero solamente supe ver con sobresalto los macabros esputos de sangre y eché instintivamente la cabeza para atrás. Intuí la broma enseguida, pero de nuevo ya era demasiado tarde y ella se reía agitando su pañuelo embaucador ante mis narices:

—No es más que carmín, idiota. Tontolaba. Panoli.

CAPÍTULO SEXTO

1

El Kim dedica la tarde a proveerse de ropa en los grandes almacenes Wing On de Nanking Road y a recorrer el núcleo central de la ciudad. Abarrotadas de *bordées* viandantes en un frenético ir y venir, las calles más comerciales de Shanghai parecen ríos de grosella, de menta y de limón, de rubí y oro deslizándose sin cesar. Nunca había visto semejante animación multicolor, una actividad tan febril en locales públicos y tal abundancia y variedad de artículos en tiendas y puestos callejeros. En un escaparate lujoso y altísimo, decorado con una espectacular cascada incesante de estrellas de púrpura, se exhiben trajes de novia de color rosa. Veloces *coolies* acarrean a sus clientes en medio de la muchedumbre y del intenso tráfico con endiablado sentido de la orientación. Al norte, en las cercanías del río Suzhou, quedan huellas de los bombardeos japoneses de siete años atrás. Filas interminables de triciclos desbordados de flores pasan por su lado dejando en el aire húmedo una fragancia suavemente pútrida. El Kim requiere los servicios de un *rickshaw* y se hace llevar a Shantung Road para echar un vistazo al Yellow Sky, el club nocturno de Kruger. Está cerrado a esta hora. El nombre del local está escrito con letras amarillas en un gran farolillo de cristal rojo que cuelga sobre la puerta.

Al atardecer, cuando se encienden las primeras luces de la ciudad, el Kim está en su cuarto ajustándose sobre la camisa blanca recién estrenada los tirantes de la sobaquera con la Browning. Monta el seguro de la pistola y seguidamente comprueba el cargador. No quiere sorpresas. Poco después, embutido en un esmoquin impecable, conduce el Packard negro de Lévy camino del Hotel Cathay, en la confluencia de Nanking Road y los muelles. El trayecto es corto. Las luces del paseo del Bund se reflejan en el río. Chen Jing, muy elegante con su *chipao* de seda negra, ha querido sentarse a su lado para conversar: ¿qué peligro tan terrible es ese que corren ella y su marido, y desde cuándo, y por qué? El Kim no ha olvidado la recomendación que le hizo Lévy de no mencionar a Kruger/Omar para no alarmar a Chen Jing, y responde con evasivas.

—Soy un buen amigo de Michel, hemos compartido muchos peligros y algunos ideales, y por eso estoy aquí —dice el Kim—. Me pidió que viniera y me convirtiera en su sombra, y eso haré. Pero no me pregunte nada más, madame Chen, porque no sé nada mas.

Deseando cambiar de tema, añade que la ciudad le gusta mucho y que su intención es quedarse a vivir aquí, trabajando seguramente en alguna empresa de Lévy, y expresa su deseo de comentarlo un día de éstos con Charlie Wong, el socio de su marido. Chen Jing no parece interesada en el tema. Ha sacado del bolso su espejito de mano y se mira en él, abstraída, retocando con la larga uña lacada del dedo meñique el carmín de las comisuras de la boca. Cuando termina guarda el espejo y dice sonriendo, mirando al frente a través del parabrisas: «Así que no piensa usted soltarme ni un momento.» El Kim observa de reojo su perfil delicado, su ojo oblicuo y engañosamente adormilado bajo la gravidez tensa y estática del párpado. «Yo no he dicho eso.» Y ella añade: «Me dejará ir solita al lavabo de señoras, supongo.»

El Kim se echa a reír y piensa: una muestra de humor demasiado occidental, impropio de una china, pero es tan joven y bella, le gusta coquetear y bromear y sin duda aprendió a hacerlo con Michel... Pero Chen Jing no bromea ni coquetea, como tendremos ocasión de comprobar más adelante. De pronto, llegando ya al hotel, recuerda que tiene una buena noticia que darle: su marido la ha llamado desde París para comunicarle que ayer superó con éxito la primera intervención quirúrgica. El Kim se alegra sinceramente, pero ha captado una impaciencia mal controlada en la voz de Chen Jing, como unas ganas irreprimibles de soltar la noticia rápidamente y pasar a otra cosa.

El cóctel del Cathay Building, organizado por los capitostes industriales y financieros de la concesión francesa, se da en honor de la gendarmería y las autoridades del sector, donde por cierto la policía está corrompida hasta las cejas y donde quien manda en realidad es un gángster chino sin escrúpulos llamado Du Yuesheng, más conocido como Du *Grandes-Oreilles*... pero éste no es el momento de hablar de él. La fiesta, decíamos, se celebra en el suntuoso salón verde del piso octavo y reúne a lo más selecto de la colonia extranjera de Shanghai. El intenso aroma a jazmín que proviene de la terraza se mezcla con los perfumes más diversos y refinados de las damas. En un ángulo del salón, sobre una tarima y frente al micrófono, una muchacha china enteramente vestida de verde, sosteniendo en sus manos enguantadas de verde una larga boquilla verde con un cigarrillo verde, canta *I Get a Kick Out of You* con voz afilada y la mirada un poco bizca, acompañada al piano por un negro con traje blanco. Un norteamericano obeso y con algunas copas de más se acerca tambaleante a la vocalista ofreciéndole un vaso de pipermint en medio de grandes risotadas.

Querida por todos y admirada, Chen Jing Fang responde amablemente a quienes se interesan por la salud de su marido y, en algunos círculos de amigos, presenta a su acompañante como Joaquín Franch, un español amigo íntimo de Michel que acaba de llegar de París. Pero el Kim no desea agobiarla con su presencia y pronto la deja en compañía de sus amistades para acercarse a la barra en busca de una copa. Allí encuentra a Wong y tiene ocasión de plantearle algunas cuestiones referentes a su futuro laboral en la empresa textil. Wong está al corriente de sus pretensiones y sugiere que lo más conveniente es esperar la vuelta de Lévy y estudiar juntos el asunto. No habrá el menor problema, y puede contar con su ayuda: «Michel me dijo que posee usted estudios de ingeniería y, sobre todo, que es usted como un hermano para él.»

Más tarde, en algún momento de esta sofocante noche de julio, después de localizar a Chen Jing al otro lado del salón hablando con dos altos dignatarios orientales, luego tal vez de admirar su belleza fría y distante a través de la concurrencia y mientras escucha una canción que le recuerda horas felices con tu madre, entonces podemos pensar que seguramente el Kim se disculparía con Charlie Wong y saldría a la terraza con un vaso de whisky para contemplar desde lo alto de la torre el paseo del Bund y la hermosa ciudad bajo la noche estrellada, los muelles y el río silencioso donde se reflejan las luces de neón como luciérnagas de colores. Siente en la axila la leve presión de la sobaquera con la pistola, un roce familiar que le une a un pasado violento y a un compromiso moral: matar a un hombre que no merece vivir y rehacer su propia vida en esta remota ciudad, eliminando así de un disparo y para siempre la presión en el sobaco y la pesadumbre en la memoria. La ocasión es buena, se dice para animarse, apretando el vaso helado en la mano y acodado en el alféizar de la magnífica atalaya del Cathay, estimulado por la música y por el perfume del jazmín, se está tan bien aquí, se siente uno tan joven y lleno de vida todavía, tan conformado a ese recodo último de su destino, tan confiado a su suerte y hasta puede que tan guapo y elegante con su esmoquin, buena ocasión para volver un momento la vista atrás a lo largo del camino, Kim, nuestro pobre camino de la esperanza sembrado de trampas y mentiras al término del cual te has cruzado, afortunadamente para ti, con el viejo camarada Michel Lévy: verás entonces, si es que te pones a pensar en ello, que lo que has dejado a tu espalda no es sólo la interminable derrota y tantas ilusiones perdidas, no sólo los camaradas muertos sino también los que aún han de morir, intrépidos e imprudentes muchachos de Toulouse y de otros puntos del sur de Francia que fatalmente volverán a cruzar la frontera empuñando las armas con la misma loca determinación que te empujó a ti un día, y verás derramada la sangre pasada y la futura, la que ya está encendiendo las venas de otros hombres, y pensarás seguramente en el *Denis* y en su Carmen intentando también ser felices en algún rincón de Francia, y recordarás a Nualart y a Betancort y a Camps pudriéndose en la cárcel o quizá fusilados, en tantos sacrificios inútiles que jamás quedarán registrados en ninguna parte, tanta generosidad y tanto coraje que al cabo no remediará nada ni beneficiará a nadie, y quién sabe si se acordaría también de mí y mis arduas falsificaciones, aquel pobre Forcat siempre con los dedos manchados de tinta, este muerto regresado a la ciudad de los muertos... Pero hay otros aún más desesperados, se dice, que ya se han rendido y no esperan nada salvo que el tiempo pase y borre su rastro y llegue un día en que por fin el olvido se los trague a todos ellos y a sus hijos para siempre. Porque si estuvierais habituados como yo a leer en la mente del Kim, sabríais que ahora está pensando especialmente en los que se han quedado aquí esperando una oportunidad: desde el otro lado del mundo, lo que él nos quiere decir es sencillamente que no hay que dejarse llevar por el desaliento, la mala suerte o la enfermedad, y ni siquiera por el humo negro de esta chimenea. La vida resulta a veces una carga pesada, y es bueno que uno se engañe un poco a sí mismo, que cultive secretamente alguna ilusión... En todo eso discurre el Kim en la terraza del Hotel Cathay con el vaso de whisky en la mano, asomado a la noche de Shanghai, sintiendo la transpiración húmeda y caliente de la ciudad como el vaho de un animal sumiso y soñoliento, cuando hace ya un buen rato, por cierto, que no ve a Chen Jing.

Pero es poco probable, piensa, que Kruger ande por ahí, y aunque así fuera, no sería tan loco como para atentar contra ella en medio de tanta gente.

Una mano se posa en su hombro y es requerido cordialmente: se trata de Lambert, un francés dicharachero, propietario de sederías y grandes almacenes, que le ha sido presentado poco antes y que viene a ofrecerle conversación; enseguida se les unen cuatro invitados más, en el instante en que uno de ellos, muy locuaz, comenta irónicamente la diabólica suerte de Michel Lévy, casado con su chinita de ojos dorados, tan joven y atractiva, y además pariente del general rojo Chen Yi, del cual se dice que se dispone a avanzar por Manchuria con sus tropas comunistas para luego proseguir a lo largo del río Yang-tsé hasta llegar a Shanghai... Según advierte el Kim, no pocos extranjeros empiezan a temer por sus empresas y negocios en Shanghai: la derrota del Kuomintang y el triunfo de los comunistas podría cul-

minar con la abolición de las concesiones extranjeras. Pero aunque le interesa mucho el asunto, no es eso
lo que retiene su atención, sino un comentario que no
tiene nada que ver con lo que se habla, lanzado inesperadamente por uno de los contertulios, el norteamericano con bastantes copas encima que antes había
bromeado con la vocalista china. Sudoroso y conges-
tionado, ahora golpea con el codo al invitado que tiene
al lado, un hombre de cabello negro planchado y rasgos angulosos, y le dice con la boca torcida y la voz
gangosa:

—Aprovechando que Lévy está en París para ver si
le pueden enderezar el espinazo, y, de paso —añade
con una risotada—, también la pilula, apostaría que la
putita de Chen Jing Fang buscará otra vez consuelo en
brazos de ese capitán mercante, ese cantonés del diablo,
Su Tzu o como se llame...

La inesperada grosería ha cortado la conversación y
el Kim se dispone a replicarle adecuadamente cuando, a
su derecha, el hombre de cabellos planchados se le anticipa con la musculosa sonoridad de su voz, agarrando
al yanqui por la solapa del esmoquin:

—Stapleton —le dice—, es usted un majadero y un
borracho. Retire inmediatamente lo que acaba de decir
sobre esa dama o le juro que voy a darle motivos para
lamentarlo.

Visiblemente asustado, Stapleton se apresura a far-
fullar una disculpa y se retira del grupo observando su
vaso de whisky al trasluz con una mueca de estupor,
como si viera en su interior algún bicho raro. Poco después la conversación languidece y el corro se disgrega,
el Kim vuelve a quedar a solas con monsieur Lambert y
durante un buen rato satisface gentilmente la curiosidad de éste sobre la actual situación política española,
pero la maledicencia del yanqui borracho no se le va del
pensamiento. ¿El capitán Su Tzu y la mujer de Lévy?

¿Era del dominio público esa relación? ¿Lévy lo sabía? Con la mayor discreción del mundo, el Kim indaga, y el francés dice no saber si el rumor es infundado o no, pero que desde luego ha circulado por Shanghai.

Seguidamente le pregunta a Lambert quién es el invitado que ha salido tan enérgicamente en defensa de madame Chen Jing, aunque en el fondo de su corazón, antes de que el francés le responda, por alguna de esas extrañas sintonías del Kim con el lado oscuro de las personas, ya sabe la respuesta:

—Se llama Omar Meiningen, es alemán, propietario del Yellow Sky Club y de los dos burdeles más selectos de Shanghai —dice Lambert, y añade en tono de afable complicidad—: Dicen que es un tipo decidido y peligroso, monsieur, aunque también dicen, especialmente las señoras, que es todo un caballero. Pero yo creo que, en realidad, es un comunista.

2

A partir de no sé qué momento los paseos y visitas de Forcat al puerto y a la Barceloneta se hicieron más frecuentes, alguna vez en compañía de la señora Anita pero casi siempre solo, y yo no sé a qué gente trataba allí ni cómo se las ingeniaba, pero nunca volvía a la torre sin unos kilos de harina o de arroz o unos litros de aceite de estraperlo.

A primeros de julio, casi tres meses después de la llegada del huésped a la torre, la señora Anita dejó de beber y de fumar. Al principio se irritaba por nada y discutía con Susana, y hasta me pareció que rehuía la mirada estrábica pero siempre discreta de Forcat, pero después su carácter mejoró y estaba muy cariñosa con su hija, receptiva y atenta con Forcat y hasta se reía con los Chacón, cuyas artimañas con las verduleras del

Mercadillo para conseguir comida la divertían mucho. No tardaríamos en saber que ese cambio se debía a la influencia benéfica de Forcat; últimamente ella se había aficionado a un blanco muy barato que adquiría a granel en la taberna, un matarratas tan potente, según Forcat, que incluso él se había negado a ponerlo en algunos guisos especiales que de vez en cuando preparaba para Susana. Pero un buen día la garrafita que solía presidir la mesa del comedor, y que con tanta frecuencia nos mandaba a rellenar a mí o a los Chacón en la taberna de la calle Cardoner, desapareció y no volvimos a verla. Al mismo tiempo, Forcat la ayudaba en los quehaceres domésticos; cambiaba las sábanas de la cama de Susana, limpiaba de ceniza la estufa y lavaba los platos, enjalbegó los muros del jardín, la animó a regar las plantas y a cuidarlas y le enseñó a entretenerse cocinando algunos platos sencillos y baratos. Se la veía más contenta y a la vez más comedida, dándose incluso ciertos aires de señora, un toque distinguido en el vestir y en los andares; pero las malas lenguas del barrio siguieron cebándose en ella tanto si la veían achispada como si no, y pusieron en circulación un afilado comentario que se atribuía al doctor Barjau y que al capitán Blay le gustaba mucho, tal vez porque enfurecía a doña Conxa: «La señora ha dejado de beber, pero la puta sigue mamando lo mismo que antes.»

Una tarde llegué a la torre más temprano que de costumbre, Susana dormía la siesta y su madre aún no se había vestido para ir al trabajo. Después de comprobar desde la galería que Finito y Juan aún no se habían instalado junto a la verja, la señora Anita me dijo:

—Daniel, guapo, ¿me haces un favor? —La vi tan nerviosa que pensé que iba a mandarme a la taberna a escondidas de Forcat, que estaba en su cuarto—. Se me han acabado las aspirinas... La farmacia aún está cerrada. ¿Quieres acercarte a la taberna a ver si tienen... y podrías traerme de paso un cuartillo de coñac...? No, no, solamente quiero aspirinas.

Cuando volví con el encargo, Forcat estaba en la galería y ella ya iba vestida de calle, otra vez a su manera desenfadada y algo provocativa: zapatos color violeta de tacón alto, medias negras muy finas, una de sus falditas plisadas de colores suaves que tanto le gustaban, blusa blanca escotada y ancho cinturón verde manzana de plexiglás. Su corta melena rubia, siempre un poco alborotada, acentuaba su aire juvenil y la traviesa expresividad de su cuerpo. Tenía un tizne de ceniza de cigarrillo en la mejilla, muy cerca de la boca, y pensé que fumaba a escondidas y que Forcat la reñiría por ello; pero nada le dijo. Besó la frente de su hija, cogió el bolso y antes de irse se tomó dos aspirinas y un vaso de gaseosa.

—Desde que no bebo, me duele la cabeza —dijo—. Ya no me duele la rodilla, ahora es la cabeza. ¡Vaya una lata! ¿Será la gaseosa?

Sentado en el borde de la cama, a los pies de Susana ya despierta, Forcat la miraba beber la gaseosa sonriendo levemente. Sobre sus rodillas cruzadas, las manos largas y manchadas colgaban yertas como las de un preso esposado, pero ni aun así parecían inofensivas o rendidas a su suerte. Algo ardía constantemente dentro de aquellas manos. Esperó que ella terminara de beber y dijo con su habitual tono persuasivo:

—No tienes ni rastro de dolor de cabeza. Tu cabeza piensa que te duele la cabeza. Eso es todo.

Susana se echó a reír y tosió. Entonces su madre, a punto ya de irse, dejó el vaso y el bolso sobre la mesa camilla, susurró: «Puñetero», y acto seguido se descalzó, empujó a Susana hacia el lado contrario de la cama donde se sentaba Forcat y se recostó boca arriba pero con los pies en la cabecera y la nuca apoyada en el regazo de Forcat; cogió con ambas manos la mano derecha de él y la apoyó sobre su frente, la apartó y la volvió a apoyar, varias veces, suavemente, como si se aplicara paños calientes. Cerró los ojos y suspiró aliviada, y Susana y yo nos miramos.

—Creo que no es el momento, Anita —dijo Forcat.

—Pues si no me alivio, no podré ir a trabajar —dijo ella—. No sabes cómo me duele.

—Que no te duele, mujer. —Levantó un poco la mano y la mantuvo extendida unos centímetros por encima de la frente. Ella seguía presionando esa mano con las suyas, pero Forcat mantuvo la distancia. Probablemente, he pensado luego muchas veces, la eficacia del tratamiento consistía no tanto en el contacto directo de sus manos como en el fluido que emanaba de ellas, el calor controlado o como diablos se llame lo que transmitía aquella piel maltrecha, y que anulaba el dolor o lo aliviaba. Duró aproximadamente diez minutos, y la señora Anita pareció que se dormía. Abrí mi carpeta y revisé mis lápices, o mejor dicho simulé hacerlo; en realidad no quería perderme detalle. Observaba sobre todo el espacio de dos o tres centímetros bajo la palma de la mano de Forcat por si podía captar el trasvase del fluido, algún chisporroteo o Dios sabe qué, pues indudablemente era allí, en ese pequeño hueco entre la mano y la frente, donde tenía lugar el prodigio. Por su parte, Susana se negaba a mirar a su madre yacente y fingía indiferencia, pero en el fondo desaprobaba lo que hacía.

Lo cierto es que la señora Anita se levantó como nueva y en absoluto sorprendida por ello; no debía ser la primera experiencia. «¿Lo ves? —dijo—, ya me encuentro mucho mejor.» Se atusó el pelo, se calzó, cogió su bolso y sonriendo feliz, con un gesto rápido y espontáneo, despeinó a su huésped con la mano, luego volvió a besar a Susana, suspiró y, repentinamente, allí de pie en medio de la galería, con el bolso colgado al hombro y la vista en el vacío, se echó a llorar en silencio, sin dejar de sonreír. No supe entonces qué le pasaba, pero hoy sé que la estremecía uno de esos instantes de plenitud que la vida debió concederle en contadas ocasiones.

—¿Por qué lloras, mamá? —dijo Susana arrodillándose en la cama, y en tono lastimero suplicó—: ¡Por favor, no llores! ¡Por favor!

Se le pasó enseguida. Dijo hasta luego a todos y se fue apresuradamente. Pero aún no había llegado al pasillo cuando regresó, cogió a Forcat de la mano obligándole a levantarse y a seguirla cruzando deprisa el comedor y luego el pasillo corriendo siempre hasta la puerta de entrada, donde —supongo, siempre me gustó suponerlo— se despediría de él hasta la noche con un beso. Nunca lo vi, pero el recuerdo de la escena es tan vivo que suelo olvidar que nunca lo vi: sus bocas buscándose y chocando, de pie los dos y abrazados estrechamente en la penumbra del recibidor.

Horas después, cuando Susana hubo merendado su gran vaso de leche y su bocadillo y los hermanos Chacón llegaron de visita con sus bolsillos rebosantes de hojas de eucalipto y sus fajos de tebeos y noveluchas atadas con cuerdas, desde la mágica y silenciosa galería ya encendida por el sol de la tarde volvíamos a viajar cogidos de la mano hacia la luminosa terraza del apartamento de Chen Jing Fang con vistas de los muelles y del río Huang-p'u, bajo la mirada estrábica de Forcat y al conjuro de su voz.

3

El Kim lleva tres días en Shanghai cuando Michel Lévy llama por teléfono desde la clínica Vautrin de París y habla largamente con su mujer. Luego pide hablar un momento con el Kim y ella le pasa a éste el teléfono en la terraza. El Kim está hojeando el periódico sentado bajo un parasol, y espera a que Chen Jing se retire de nuevo al salón para hablar con Lévy: Bonjour, amigo, ¿cómo va ese ánimo? Excelente, dice Lévy, ¿y tú qué tal? Bien, sin novedad. Tengo muy buenas noticias, Kim: la primera operación resultó un éxito y estoy muy animado; he de volver al quirófano, me queda la más difícil, pero tengo la suerte de cara y sé que todo saldrá bien y que muy pronto estaré de vuelta a casa. Y ahora dime: ¿cómo anda lo nuestro? ¿Hiciste lo que te pedí?

—Sólo en parte —dice el Kim—. Tengo el libro que querías, pero a Kruger nada más le he marcado, por el momento. Este asunto no puedo liquidarlo sin tomar muchas precauciones.

—Debes darte prisa —dice Lévy—. Kruger es listo y puede olerse algo.

—Correré ese riesgo —dice el Kim, y añade—: Te diré cómo veo el problema, capitán. Ahora más que nunca debo actuar de una forma limpia, desde la sombra y sin dejar rastro, porque una vez liquidado ese torturador del diablo quiero quedarme aquí, tal como te dije, trabajar contigo y traer a mi mujer y a mi hija... Quedamos en eso, ¿recuerdas? Otra cosa sería si después de darle a Kruger su merecido cogiera un avión y adiós Shanghai, si te he visto no me acuerdo. No quiero arriesgar mi futuro y el de mi familia. Tengo que preparar un plan y buscar la ocasión y luego quedar libre de toda sospecha, ¿me explico?

—Debes ser precavido, pero también rápido —dice Lévy—. El asunto no puede esperar. Y no pierdas de vista a Chen Jing, no me fío de este hijo de puta... Volveré a llamarte. Hasta pronto y suerte.

—Lo mismo digo, capitán. Suerte.

Nada más colgar el teléfono, Chen Jing sale de nuevo a la terraza seguida de su fiel sirvienta, que lleva una bandeja con bebidas.

—¿Le apetece un té de jazmín, monsieur Franch? —dice la joven china sonriendo—. ¿O prefiere un martini seco? Sé prepararlos muy bien. Dice mi marido que mis martinis son los mejores que se pueden tomar en Shanghai... sin contar uno muy especial que prepara él, claro está.

—Seguro que Michel prefiere los que usted le prepara —dice el Kim—. A propósito, ¿tiene algún compromiso esta noche? ¿Va usted a salir?

—Mucho me temo que sí, monsieur. Lo siento.

—No diga eso. Siempre es un placer acompañarla.

Los ojos dorados de Chen Jing sonríen discretamente bajo la cadencia de un parpadeo indolente, de una frecuencia y un ritmo calculado, casi mecánico. Pero ese mismo ritmo inalterable, la sensualidad y la seda de los párpados moviéndose con lentitud, fascinan al Kim.

Escoltar a Chen Jing le ocupa ciertamente mucho más tiempo del que había pensado y en poco más de dos semanas ya conoce la vida nocturna y galante de Shanghai y toda la gama de la pintoresca fauna occidental y asiática que se halla aquí representada. Las notas de sociedad del *North China Daily* y del *Shanghai Mercury* recogen puntualmente la presencia de la señora Chen Jing Fang y del señor Franch en fiestas y recepciones. A ella le gusta además frecuentar los cabarets de moda y encontrarse con amigos en el Casanova, el Del Monte, el Little Club o el Ciro's. A veces la llama por teléfono algún matrimonio amigo para cenar juntos y luego ir al cine o a bailar, pero casi siempre prefiere salir sola, es decir, irremediablemente escoltada por el Kim, con el que suele bromear acerca de un emparejamiento que ya está dando que hablar en Shanghai más de lo que su marido, de hallarse aquí, habría consentido.

Una noche, en una recepción multitudinaria a orillas

del lago del Oeste, en Hangzhou, el Kim se entretiene bromeando con Charlie Wong y su esposa y descuida un buen rato la vigilancia de Chen Jing, y de pronto, a unos cincuenta metros, entre el mar de cabezas de los asistentes, distingue a Kruger conversando con ella al pie de un abeto iluminado. El Kim se abre paso entre los invitados impetuosamente y antes de llegar junto a Chen Jing advierte que Kruger también le ha visto: sin apresurarse, pero obedeciendo clarísimamente a un impulso repentino, el alemán se despide de la hermosa china inclinándose para besar su mano y, acto seguido, da media vuelta y se pierde entre la concurrencia.

—¿Conoce a este hombre? —El Kim ofrece un cigarrillo a Chen Jing, aparentando indiferencia—. Parece un tipo agradable.

—Quién no conoce a Omar en Shanghai —dice ella—. Pero le he tratado apenas un par de veces. Ha venido a saludarme y a interesarse por mi marido... ¿Por qué lo pregunta? ¿He corrido tal vez un serio peligro sin saberlo? —añade con una chispa irónica en los ojos.

En vez de enredarse en explicaciones, el Kim prefiere disculparse.

—Lo siento. Pero comprenda que, estando sola, cualquiera que se acerque a usted es para mí sospechoso...

—¿Teme usted dejarme sola en medio de tanta gente, monsieur Franch? —sonríe la joven china—. No debe usted preocuparse, estoy rodeada de amigos... Y ahora, ¿será tan amable de acercarse al bar y traerme una copa de champán?

El Kim le devuelve la sonrisa y le roza suavemente el codo con la mano.

—Será un placer acompañarla al bar y provocar la envidia de todos los hombres... Mire, ahí están Wong y Soo Lin con los Duprez.

—Pues vaya una diversión. —Chen Jing suspira resignada—. Pero usted manda. Esta imprudente chinita jura solemnemente no alejarse ni un metro de su guardián... salvo si madame Duprez se empeña en contarme por enésima vez su famosa noche loca en París con Jean Gabin y la perrita *Lulú*.

—Es usted una mujer malvada —sonríe el Kim.

—¿Lo cree de veras? Lo tomaré como un cumplido.

—¿Y eso por qué?

—Porque siempre quise ser una mujer malvada.

En su recorrido habitual por los clubs nocturnos, Chen Jing no ha incluido ni una sola vez el Yellow Sky de Omar, de lo cual el Kim se alegra; desea conocer el refugio del ex nazi, pero naturalmente solo, en cuanto disponga de una noche libre.

La ocasión se presenta un domingo muy caluroso, poco antes de sentarse en la terraza de Chen Jing sobre el Bund, al comunicarle Deng que madame pide disculpas por no acompañarle en la cena: una fuerte jaqueca la ha obligado a acostarse y hoy no piensa salir, por lo que ruega a monsieur que disponga de la noche para sí mismo como mejor le parezca.

Después de cenar, servido ceremoniosamente por el criado chino, el Kim se hace llevar por un *coolie* al Yellow Sky Club, en Shantung Road. El local, muy concurrido, es grande y lujoso, decorado en amarillo y rojo, con una resplandeciente pista de baile y sala de juego. En la barra del bar el Kim pide un whisky y observa a la clientela, mientras la orquesta toca *Siboney* y algunas parejas bailan embelesadas. En todas las mesas alrededor de la pista hay una lamparita roja y una rosa amarilla de largo tallo metida en un esbelto jarrón de cristal. Y también llama su atención, en una de las mesas al borde de la pista, una joven china muy elegante, de ojos rasgados y bonitas piernas, que está sola: vestida enteramente de rojo con un ceñido *chipao* de cuello alto y cortes laterales en la falda, se mira displicente las uñas de púrpura encendida y fuma un cigarrillo del mismo rojo color, sentada frente a un largo vaso de grosella. Tras ella, al fondo del local y alrededor de la ruleta, se oyen voces de júbilo, una suave explosión de alegría y de sorpresa.

Entonces ve a Omar al borde de la pista saludando de pie, sonriente y calmoso, a unos clientes sentados. El Kim puede ahora observarle mejor que en el Hotel Cathay y en Suzhou. De unos treinta y ocho o cuarenta años, el hombre que ahora se hace llamar Omar es muy alto, tiene afilada y aguileña la nariz, impertinente la mirada y, a pesar de la blanca sonrisa, un rictus amargo endurece su boca grande y bien dibujada. Sus modales son suaves y distinguidos. Al pasar junto a la china vestida de rojo, el apuesto Omar coge la rosa amarilla que adorna su mesa y la huele sonriendo a la muchacha, besa a ésta en la mejilla y se despide con una reverencia, llevándose la rosa cogida con ambas manos y dirigiéndose acto seguido, mientras consulta su reloj, hacia una pequeña puerta azul con adornos de laca y marfil situada a un extremo de la barra. La abre, se distinguen los primeros peldaños de una escalera iluminada, y Omar vuelve a cerrar la puerta tras él.

Piensa el Kim que no le ha visto, o que no ha querido verle, pero que sin duda sabe muy bien quién es; después de dejarse ver acompañando a Chen Jing en tantas recepciones y locales públicos de Shanghai, sus funciones de guardaespaldas no pueden haberle pasado por alto.

Transcurre media hora y en vista de que Omar no reaparece, el Kim pregunta al barman si el dueño volverá, pues desea hablar con él acerca de un importante negocio. El barman, un chino con triste cara de luna y lacios bigotes, le responde que el patrón se ha retirado a

lombarts

sus habitaciones ordenando que no se le moleste para nada. ¿Sus habitaciones?, dice el Kim, ¿es que el señor Omar vive aquí en el cabaret? Aquí mismo, monsieur, su apartamento está encima del club... Muy práctico, opina el Kim, aunque supongo que dispondrá de otra entrada desde la calle. Por supuesto, monsieur: en King Loong, un callejón trasero. Su vaso está vacío, monsieur, ¿desea otro whisky?

Se dispone a contestar cuando una voz artificiosamente cordial se le anticipa a su espalda:

—Tal vez monsieur prefiera compañía.

El Kim se vuelve despacio y ve a un chino gordito y sonriente con traje azul claro, camisa negra y corbata blanca.

—Prefiero el whisky —dice el Kim.

El barman le sirve mientras el desconocido insiste:

—Perdone que le moleste. ¿Es usted el honorable monsieur Franch?

—Sí.

—Du Yuesheng, mi jefe, desea hablar con usted y sería para él un gran honor que aceptara usted tomar una copa en su mesa.

—¿Hablar de qué? —dice el Kim—. No le conozco.

—¿Monsieur no ha oído hablar de Du *Grandes-Oreilles*?

—Algo he oído. —Impaciente, el Kim añade—: Está bien. ¿Qué quiere?

Sin dejar de sonreír, el chino le hace una reverencia:

—Sígame, por favor.

Rodea la pista de baile y cruza la sala de juego, seguido de cerca por el Kim. Du *Grandes-Oreilles* está sentado en una mesa de espaldas a la pared, en una zona intermedia a la sala de juego y a otra barra muy concurrida. Lleva un traje blanco impoluto, sombrero blanco y corbata color salmón. Su mandíbula prominente, agresiva, contrasta con la quietud socarrona de los párpados pesados y la boca sin labios. Tiene entre las manos una copa de champán esmerilada de frío. Sus manos son como dos bolsas de agua caliente. Sentado junto a él, el ala del sombrero tapándole la mitad del rostro chato y taciturno, su guardaespaldas filipino deshoja lentamente la rosa amarilla que adornaba el centro de la mesa. El Kim sólo necesita echarle un vistazo para saber que se trata de un *tufei* profesional, un pistolero a sueldo. El mensajero se sienta al otro lado de su jefe y el Kim permanece de pie, con su vaso de whisky en la mano.

—Es un placer conocerle, monsieur Franch —dice Du Yuesheng—. ¿No quiere sentarse a la mesa de este humilde servidor? Parece usted cansado. Tal vez ha dormido poco últimamente...

—Tal vez.

—Tengo entendido que llegó usted a Shanghai invitado por monsieur Lévy y en uno de los barcos de su compañía naviera. —Sonríe pensativo Du *Grandes-Oreilles* y prosigue—: Resulta un poco extraño, ¿no le parece? Podía usted venir tan cómodamente en avión...

—El avión me marea —dice el Kim.

—¿De veras, monsieur?

—Puedo jurárselo.

—¿Sabía usted que algunos cargueros de su honorable amigo monsieur Lévy trafican con armas para los comunistas que quieren apoderarse de Shanghai?

—No sé de qué me habla.

—Oh, cuánto lo siento. Tal vez me explico mal, mi francés es algo primario —dice el gángster chino bajando los ojos. El Kim intuye que detrás de su atildamiento, de sus maneras refinadas y de su piel rosada y sin mácula se ocultan bastantes más años de los que aparenta—. Pero también lo es el suyo, monsieur. Porque usted no es francés, eso me han dicho.

—Le han dicho la verdad. Soy catalán y español, y créame si le digo que empiezo a estar harto de ser ambas cosas. Así que mi paciencia es escasa, especialmente ante un matón como usted disfrazado de vieja tortuga. ¿Qué quiere de mí?

Sin descomponer su sonrisa de porcelana, Du Yuesheng bebe un sorbo de champán y dice:

—No sea tan impulsivo, querido amigo. ¿Me permite una pregunta? ¿A qué ha venido a Shanghai?

—Si le digo que a comprarme un sombrero, como Shanghai Lily en 1932, no se lo va a creer.

—Tiene usted un curioso sentido del humor. —Sonríe Du *Grandes-Oreilles*—. Deberíamos entendernos. Vamos a ver... ¿Por qué mi honorable amigo no se sienta a mi mesa y acepta una copa de champán?

—Me gusta beber solo.

—Pasaremos por alto su falta de cortesía. De todos modos, quiero hacerle un favor.

—Veamos.

—He de sugerirle que se vaya usted de Shanghai.

—Eso ni lo sueñe.

—¿Por qué no, monsieur? ¿Qué forma de hablar es ésa? —Du sonríe ampliamente—. Soñar es bueno. Se lo recomiendo.

—Nunca sueño despierto.

—No le creo. No estaría en Shanghai si no lo hiciera. Y bien, por lo menos ¿querrá usted cenar conmigo? Tenemos sopa de serpiente, raíces de loto y *ju lai*. ¿Sabe lo que es?

—Lengua de cerdo. No, gracias.

—Veo que ha hecho usted grandes progresos con mi lengua... En fin, ¿aceptaría usted un buen consejo, monsieur? —Su tono es ya más crispado.

—No se moleste.

—En tal caso debo prevenirle: se va a meter en líos, monsieur.

—No suelo meterme en líos —dice el Kim fríamente—, pero si lo hago, sepa usted que voy hasta el final.

La orquesta toca ahora *Amapola* y, de repente, en los pliegues más vulnerables de la memoria, el Kim recupera por un instante a tu madre bailando en sus brazos muy despacio y como dormida, la cabeza recostada lánguidamente en su hombro: era su canción favorita y ella la tarareaba con frecuencia, una especie de abrigo contra la adversidad y los malos augurios. Mientras, Du *Grandes-Oreilles* observa atentamente la cara del Kim y con la voz suave añade:

—Le diré lo que va usted a hacer, monsieur Franch. Tomará usted un avión y regresará a Francia mañana mismo, vía Japón.

—Ya le he dicho que los aviones me marean.

—Entonces váyase en barco. Hay mil maneras de irse de Shanghai, monsieur, lo importante es que uno lo haga por su propio pie y no tengan que... empujarle —vuelve a sonreír y sus ojos se cierran casi del todo—. ¿Comprende?

—¿Por qué ese interés en que me vaya, Du?

—Digamos que en Shanghai hay demasiados comunistas.

—¿Es eso lo que piensa Omar?

—¿Quién?

—Omar Meiningen, el dueño de este local.

—No sé lo que piensa este honorable caballero —dice Du, y su sonrisa se esfuma—. No es amigo mío.

—¿De veras?

—Puede preguntárselo.

—Entonces, me informaron mal.

—En efecto —dice Du—. Y bien, monsieur, qué me responde. ¿Tendrá en cuenta mi consejo?

—Tengo otros planes. Y en ellos no entra perder mi tiempo con tipos como usted —dice el Kim. Y añade—: *Jia xì zhen zu*.

Una expresión que en China se utiliza cuando alguien pretende engañarte mediante una comedia.

—*Chang shou* —le responde Du—. Larga vida, monsieur.

El Kim lanza una última mirada a los dos sujetos que custodian a Du Yuesheng, da media vuelta y vuelve a la barra cruzando la sala de juego y bordeando la pista de baile, saboreando los últimos compases de *Amapola* y el aroma errante e inmarcesible de los cabellos rubios de tu madre. Paga sus whiskis y abandona el Yellow Sky Club.

Decide volver a casa caminando y cuando llega son cerca de las dos y media. Chen Jing le dio tiempo atrás una llave, así que no necesita despertar a Deng, que ha dejado las luces del salón y de la terraza encendidas, como cada noche. En su cuarto, mientras se desnuda, el Kim piensa en Du *Grandes-Oreilles*: ¿qué había detrás de su amenaza? ¿Qué intereses servía, y de quién?

Hace mucho calor y antes de acostarse se mete bajo la ducha, luego cruza el salón enfundado en un albornoz y sale a la terraza a fumarse un cigarrillo. Oye ruido a su espalda y al volverse está Deng, respetuoso y mudo, indeciso durante unos segundos.

—¿Monsieur necesita algo...? —dice finalmente el fiel criado.

El Kim le observa atentamente. Le pregunta por la señora, y Deng baja los ojos y dice que duerme desde que monsieur se fue.

—¿Ha cenado? —pregunta el Kim.

—No, monsieur, no ha querido comer nada.

Deng mantiene la vista en el suelo, pensativo. Parece querer añadir algo, pero finalmente se retira.

El Kim duerme mal y se levanta al amanecer. Desde la ventana ve surgir del mar un inmenso sol rojo. Después de tomar un té en la cocina, cree que anoche olvidó los cigarrillos en la terraza y va a buscarlos, pero no están allí; vuelve a su cuarto y tampoco los encuentra. En este ir y venir cruza cuatro veces el amplio salón y, cada vez que lo hace, se para unos segundos mirando todo a su alrededor: los mullidos divanes y los cojines de seda, el piano de cola, la gran vitrina con abanicos y figuras de jade y de cristal, las plantas de lustrosas hojas verdes y los altos cortinajes; y lo hace con el vago presentimiento de una presencia nueva, una emoción furtiva agazapada allí cerca y que aún no acierta a detectar, la viva sensación de hallarse ante algo que antes no estaba en el salón. El piano está abierto y su teclado al descubierto, mudo y a la vez tan elocuente que parece querer anunciarlo...

El Kim siente que el corazón le avisa antes que la mente. Aún no ha advertido el objeto de su inquietud, pero intuye que ahora sí captará la señal, acaso porque esta vez es algo más que una señal o un aviso de peligro, es la expresión de un sentimiento y ahí está, sobre el piano precisamente: la rosa amarilla de largo talle que anoche, cuando él llegó, no estaba allí, y que ahora, un poco desmayada, a punto ya de rendir aquella lozanía y aquel vivísimo color de la víspera exhibidos en una mesa del Yellow Sky Club, se inclina en una esbelta copa de cristal como si quisiera mirarse en la pulida superficie del piano de cola, dejando caer su último aroma y su misterio.

4

La noche y el perfume de la rosa habían penetrado en la galería sin darnos cuenta y me levanté para encender la luz. No era la rosa azul del olvido, muchachos, ojalá lo hubiera sido; era la rosa amarilla del desencanto... y aquí Forcat interrumpió su relato como si la luz eléctrica hubiese cortado bruscamente el hilo de sus recuerdos y se levantó del borde de la cama, dio algunos pasos de un lado a otro cabizbajo y con su aire fumanchunesco, las manos ocultas en las mangas y pegadas al vientre. Luego acarició la cabeza de Susana y salió al jardín.

Volvió al cabo de un rato, pero antes de entrar, desde la puerta y con las manos a la espalda, me ordenó que apagara la luz. Lo hice y entonces entró con las manos en alto, mostrando las palmas completamente manchadas de luz, brillando colgadas en la oscuridad como si pertenecieran a otra persona.

—¡Yo también quiero! —dijo Susana entusiasmada—. ¡Yo también!

—Abre la mano. —Forcat depositó cuidadosamente en su mano tres gusanos de luz—. ¿Quieres ser un fantasma en la oscuridad? Frótalos muy suavemente en tu cara, así, y por un ratito serás un fantasma.

—¿Un ratito solamente? —dijo ella.

—Lo bueno dura poco, ya sabes.

La cara de Susana emergió entre las sombras como una máscara luminosa, y entonces Forcat se fue a la cocina dejándonos solos; esta noche quería sorprender a la señora Anita, que estaba a punto de llegar del cine, con otro de sus platos especiales.

—Ven —dijo Susana en voz baja, arrodillándose en la cama—, acerca esa cara de bobo. Vamos, no tengas miedo, siéntate a mi lado...

Me senté en la cama y ella restregó las luciérnagas por mi cara y mi pecho con rápidos movimientos, abriéndome la camisa, los gusanitos eran fríos y daban un cosquilleo, luego Susana se desabrochó el camisón e introdujo los extraños dedos fosforescentes a la altura del corazón dejando en la piel fugaces estelas de luz. Sin dejar de mirarme, se me acercó un poco más avanzando de rodillas sobre la cama, la espalda doblada hacia atrás, tensa, y su mano encendida se demoró bajo la tela del camisón frotándose el pecho. Mi cara estaba muy cerca de la suya, cuya espectral fosforescencia se iba apagando rápidamente y me urgía pasar a la acción aprovechando no sé qué especie de enmascaramiento, anonimato o impunidad. Y sentía su respiración alterada y también la mía, pero estaba sobre todo fascinado por el pecho de luz que dejaba ver su escote y apenas oí el susurro de su voz:

—¿Te gustaría besarme...? Si no pensaras tanto en mis microbios, podrías besarme. A que te gustaría, tonto. Pero un beso de tornillo, ¿eh? ¡Contesta! ¡Burro, más que burro!

He revivido mil veces esa fosforescencia y ese ardor en la oscuridad, esa mórbida combinación de sexo enmascarado y enfermedad mortal y furor y timidez, y siempre me invade el mismo remordimiento, la misma duda: no sé si fue Susana la que sólo permitió que le rozara los labios o fui yo el que no quiso llegar más lejos. Por supuesto que deseaba besarla, y desnudarla y acariciar sus pechos y sus muslos de fiebre, y estaba dispuesto, si no había más remedio, a contagiarme con su saliva y su aliento y a recibir mi ración de microbios... Pero pensando en eso perdí otra vez unos segundos preciosos, y me agarroté, y ella lo notó y me apartó con las manos.

—Vale —dijo—. Ahora vete —y volvió a meterse entre las sábanas. Quedaban restos de luz en su cara y en sus manos, y enseguida se apagaron del todo.

—Qué poco dura —dije por decir algo, desolado.

—Sí, muy poco.

—Mañana, si quieres, buscaré más gusanos de luz en el jardín y nos pintaremos otra vez...

—Sí, mañana —me cortó—. Pero ahora enciende la luz y vete.

x "rouler un patin"

171

En alguna ocasión había oído fantasear al capitán Blay acerca de su auténtica vocación frustrada, la de fino carterista, esos que mueven el «pico» en los tranvías y en el metro con tanto sigilo y tanta maestría que hacen del oficio un verdadero arte. Me dijo que aún le quedaba en la mano cierta memoria táctil, una dormida nostalgia de billeteros de piel y de forros de satén caliente, pues siendo muy joven hizo prácticas y recibió clases de teórica del primer novio de doña Conxa, un murciano avispado que vivió un tiempo en el barrio, y al que él mismo acabaría birlándole no la cartera, sino la novia...

Bueno, me creí la historia a medias, como en tantas ocasiones, pero una mañana que le seguía cansinamente por los alrededores de Can Compte con un cálido viento de espaldas y mi carpeta de firmas bajo el brazo, tuve ocasión de admirar fugazmente sus habilidades. Ese día, el capitán estrenaba vendas limpias y su cabeza afilada y alta, con los pelajos enhiestos en la coronilla, parecía una zanahoria blanca. Y no sé por qué, acaso para darle un toque romántico a su cochambroso disfraz de accidentado, desde hacía un par de días llevaba el brazo en cabestrillo con una vieja bufanda de seda atada a la nuca. El artificio devolvía a su calamitosa figura una pizca del decoro y la prestancia que sin duda cultivó en el frente del Ebro, en los días en que su entendimiento, su responsabilidad y su coquetería aún estaban intactos. Habíamos alcanzado el tramo final de la calle de la Legalidad, donde las farolas habían sido rotas a pedradas y el rótulo de la calle era ilegible, y el capitán me esperó hasta que le alcancé, apoyó su mano en mi hombro y se quedó quieto un rato escuchando el rumor del viento en las palmeras. Entonces un coche frenó bruscamente a nuestro lado, el conductor asomó la cabeza por la ventanilla y, después de reparar, bastante sorprendido, en el aspecto estrafalario del capitán, le preguntó si la calle de la Legalidad quedaba cerca. Era un hombre corpulento, de nariz chata, labios gruesos y pelo negro y liso untado de brillantina. Llevaba una elegante sahariana azul que más bien parecía una guerrera, con altas hombreras y grandes botones, abierta sobre el pecho peludo y dejando ver una batería de formidables estilográficas prendidas en el bolsillo interior. El capitán le contestó que precisamente nos encontrábamos en la calle que buscaba, y me sorprendió que lo hiciera en catalán. Primera vez que le oía hablar en su propia lengua:

—Justament ens trobem en el carrer que busca, senyor, és aquest...

El hombre lo atajó secamente:

—No entiendo el lenguaje de los perros, tú. A mí me hablas en cristiano.

—Què diu, senyor?

—¡Contesta en español, cuando te pregunten! —Y observó el brazo en cabestrillo del capitán, el raído pijama y la gabardina, el vendaje y las gafas, y añadió burlonamente—: ¿De dónde demonios sales con esta facha? ¿Te has escapado de un quirófano o de un manicomio?

—No n'has de fotre res, gamarús.

El capitán había comprendido, y yo también, que se las tenía con alguien que no sabía ni quería saber una palabra de catalán. El hombre echó el freno de mano y con gesto enérgico acabó de bajar el cristal de la ventanilla, insistiendo:

—¡Me hables en español, te digo! ¡O te juro que te vas a enterar! ¡A ver ¿dónde para esa maldita calle de la Legalidad?!

El capitán Blay esbozó una sonrisa afable entre las gasas y se inclinó respetuoso ante la ventanilla del iracundo chófer, y en este momento yo supe que el dispa-

rate estaba servido. Había tardado lo mío en captar esas
señales de alarma: un tic nervioso, la cabeza levemente
ladeada, un carraspeo que solía anticipar una intensa
meditación y una tensión muscular o un rechinar de
huesos que a veces mis sentidos creían percibir, como si
al enderezar el viejo pirado el espinazo el crujido de sus
vértebras me avisara del nuevo e inminente desatino.
En realidad, nunca tuve claro ni me importó demasiado
si lo que movía entonces al capitán, sobre todo en las situaciones más adversas, era un impulso estrictamente
irracional, aquel demonio que llevaba dentro, o bien
eran resabios mentales de la derrota, la última rabieta
de un espíritu revanchista descarriado y ya sin fuelle.
En tales situaciones, me limitaba a permanecer de pie a
su lado, mudo y expectante. Ahora sus ojos escudados
en las gafas oscuras fijaron el objetivo en el pecho del
chófer: si en este bolsillo las estilográficas, debió pensar, en el otro la cartera.

—Sí, señor, usted perdone —entonó el capitán en el
tono más servicial—. Es que lo hablo tan mal. Y no es
por el acento, no, que uno tampoco pretende compa-
rarse con un señor de Madriz. Es por la sintaxis ¿sabe?,
la natural fluidez de la lengua... ¡Qué soy burro! ¡No
me haga caso...!

—¡Ya está bien, coño, acabemos! ¡Dime dónde co-
jones está la calle Legalidad de una puñetera vez, si es
que lo sabes, viejo carcamal, y luego vete al infierno!

—¡Pues claro que lo sé! Mire, coja usted esta primera calle que viene a la derecha y enseguida verá una
plaza, allí coge otra vez a la derecha y llegará a la Avenida del Generalísimo, antes llamada Diagonal, entonces siga siempre a la derecha y verá la estatua de mosén
Cinto Verdaguer, poeta vernáculo y separatista de du-
doso talento, como usted sabe...

—¡Venga, venga, no me hagas perder más tiempo!

—Bueno, pues desde allí todo recto y no pare hasta

pasado Pedralbes, por allí verá usted un letrero que dice San Baudilio, o sea Sant Boi, sigue un par de kilómetros más y se encontrará en la calle Legalidad, no tiene pérdida...

Mientras hablaba, el capitán apoyó el brazo en cabestrillo en la ventanilla y la otra mano en la capota del automóvil. En cierto momento hizo tamborilear los dedos en la chapa. Era como el ruido de gotas de lluvia, y el airado conductor alzó los ojos unos segundos. Fue suficiente. La mano yerta que colgaba en cabestrillo se movió con rapidez fulgurante hacia el costado derecho del conductor, con el índice y el corazón abiertos en forma de pico, y un billetero muy plano de piel marrón, visto y no visto, pasó de allí al hondo bolsillo de la gabardina del capitán, cuando añadía:

—De verdad que no tiene pérdida.

—¿Lo ves, como sabéis hablar como Dios manda? —Sonrió burlón el hombre girando la llave del contacto—. Lo que pasa es que no queréis, de mal nacidos que sois, coño.

—Que soy muy distraído, oiga —se excusó el capitán, compungido—. ¿Quién no va a querer hablar el idioma del imperio? Precisamente a mí me gustan los idiomas, el inglés, el francés...

—¡Nos basta y sobra con uno! —No conseguía poner el motor en marcha—. Tú hablas todavía como un perro, pero ya se te quitará el acento con el tiempo.

—Con el tiempo, sí señor, eso espero —cabeceó sumiso el capitán—. Vamos haciendo lo que podemos, sí señor. Con el tiempo. No se olvide: todo recto hasta Sant Boi. No tiene pérdida.

—Oye, tienes bastante salero, abuelo. Antes de irme quiero que me hagas otro favor —miró al capitán con ojos burlones y conmiserativos—. De verdad que me has caído bien, imbécil. A ver, repite conmigo: dieciséis jueces comen hígado... ¿Cómo es eso? Dilo muy rápido.

—Es un verso patriótico de Joan Maragall.

—No lo sabía. Vamos, recítalo.

—Pierde mucho con la traducción. Se refiere a un hombre que colgaron por el cuello en la montaña de Montserrat, ya sabe, donde está la Morenita...

El hombre se impacientaba, riéndose. El motor del coche arrancó por fin.

—¡Me lo traduces, venga, payaso!

—Sí, señor, a la orden. Dieciséis jueces comen hígado de un ahorcado. Tiene otro que también es muy bueno, el poeta Maragall: elàstics blaus suats fan fàstic. Está dedicado al glorioso ejército alemán.

—Tradúcelo al cristiano, mamón.

—Tirantes azules sudados fant... tásticos.

—Eres un tipo divertido, para ser catalán. Hala, que te den muy mucho por el saco, viejo chocho.

Soltó una risa asmática, soltó también el pie del freno y el coche arrancó bruscamente. Antes de verle abandonar la calle de la Legalidad y doblar la esquina, el capitán tiró de mi mano y nos escabullimos en dirección contraria. «Le hemos enviado al quinto coño», dijo.

La cartera contenía ciento cincuenta pesetas. El capitán me dio las cincuenta, prohibiéndome gastarlas en el cine y en los billares. «Te compras más papel de barba para dibujar —dijo—, y el resto para tu madre, que buena falta le hace.»

Por la noche se lo conté a mi madre y ella se compadeció del capitán, me dijo que rogaría a la Virgen para que le concediera al viejo buena salud, claridad de ideas y muchos años de vida; y que no estaba bien lo que habíamos hecho. Enviar aquel pobre hombre tan lejos, qué barbaridad. Pero las pesetas bien que se las quedó.

CAPÍTULO SÉPTIMO

1

Me reconcomía el recuerdo de las luciérnagas restregadas en su piel y la mancha de carmín en sus dientes, la flor venenosa de su boca abriéndose aquel día que se hizo la muerta, y sentía crecer dentro de mí un sentimiento de vergüenza y de tristeza. Dos semanas después se presentó la ocasión de hacerme perdonar.

No serían más de cinco o seis los domingos que Forcat salió de la torre aquel verano, siempre en compañía de la señora Anita y siempre, salvo la primera vez, por la mañana; en las otras salidas iba solo y traía cosas de comer. Si era domingo solían ir juntos a la sesión matinal del cine Roxy y en varias ocasiones, entre semana, a los Baños Orientales en la playa de la Barceloneta. Volvían con una sandía y un kilo o dos de mejillones o tellerines y Forcat hacía mahonesa y luego entraba muy solemne y ceremonioso en la galería presentando a Susana una gran fuente de mejillones al vapor, y entonces Susana llamaba a los Chacón a través del jardín y comíamos todos alrededor de la cama.

Ya nunca más su madre volvió a dejarla sola en

casa, Forcat no lo consentía. Me avisaban de sus salidas la víspera y me quedaba haciéndole compañía, no sin antes decírselo al capitán Blay.

Un domingo que estábamos solos, después de romper una vez más mi dibujo porque no le gustaba, Susana se arrodilló en la cama y propuso una visita de inspección al dormitorio del huésped.

—No deberías ir descalza —le dije mientras subíamos al primer piso por la escalera de caracol.

El cuarto de Forcat era estrecho y oscuro, y mostraba una limpieza y un orden escrupuloso. Él mismo se hacía la cama y fregaba el pequeño cuarto de baño, cuya puerta estaba abierta. En la mesilla de noche había un vaso de agua cubierto con un platillo de café, aspirinas, un cenicero limpio y una cajetilla de Ideales. Nunca habíamos visto a Forcat fumando en la torre, ni siquiera en el jardín, y mucho menos en la galería y delante de Susana. La vieja maleta de cartón estaba debajo de la cama.

—¿La abrimos, a ver qué hay dentro? —dijo Susana.

Tiré del asa de la maleta y Susana, arrodillada a mi lado, la abrió liberando un aroma festivo y silvestre, el olor inconfundible de las manos de Forcat. Dentro había una mezcla de recortes de diarios franceses, mapas y folletos de agencias de viajes, cancioneros de cinco céntimos, un manoseado libro sin cubiertas titulado *La conquista del pan*, fundas de discos extranjeros con canciones en inglés y francés y, en un rincón de la maleta, envuelto en un viejo jersey negro que a su vez envolvía una limpísima gamuza amarilla, apareció un revólver pequeño de cañón corto, sin brillo y tan nuevo que no parecía de verdad.

—Es de juguete —dijo Susana.

—Qué va —lo sopesé en mi mano—. ¿Estará cargado?

Susana me lo quitó, lo envolvió apresuradamente en la gamuza y en el jersey y lo depositó nuevamente en la maleta, pasando a examinar los recortes de periódicos. La mayoría eran noticias fechadas en París y en Shanghai, todas en francés, y había una foto de un ciclista narigudo, Fausto Coppi, coronando un puerto de montaña emborronado por la ventisca con dos tubulares cruzados sobre el pecho y la cara enfangada, como un fantasma en medio de la niebla. Debajo de una bufanda apolillada encontramos un pasaporte con la foto de Forcat, pero expedido a nombre de José Carbó Balaguer, y dentro del pasaporte, un papel doblado con una anotación del Kim y con su firma, y que decía: «Debo a mi amigo F. Forcat la asombrosa cantidad de ciento cincuenta francos (150 F), una copa de coñac y una patada en el culo por prestar dinero a un sinvergüenza como yo: Joaquim Franch. Toulouse, mayo 1941.» Había también un viejo plumier manchado de tinta conteniendo algunas monedas extranjeras y un billete del Metro de París. Ninguna carta, ninguna foto, salvo la del esforzado ciclista... Nos quedamos decepcionados y algo confusos. ¿No había dicho Forcat que jamás empuñó un revólver? ¿Ése era el equipaje de un hombre que había viajado por medio mundo, un hombre culto y estudioso? ¡Forcat el aventurero transatlántico!, según lo calificó el capitán Blay. Pues sólo llevaba un libro y además parecía del año de la nana.

Lo que más nos llamó la atención fueron tres botellines de vermut arrinconados en la maleta, con tapones de corcho y llenos de un líquido turbio, ligeramente verdoso. Susana destapó un botellín y olimos su contenido juntando las mejillas, y entonces el cálido aroma de sus cabellos y su aliento febril se mezcló con el olor singular de las manos de Forcat.

—¿Qué será eso? —dijo Susana con un mohín de repugnancia, y rápidamente volvió a tapar el botellín.

Dejándome llevar por un repentino impulso, yo había rodeado su cintura con mi brazo, y cuando ella giró la cara para mirarme, reparó en algo detrás de mí que antes no había visto y le cambió la expresión: la puerta abierta del cuarto de baño dejaba ver, colgada en la pared, la bata malva con ribetes de marabú junto al quimono negro y el pijama de Forcat.

Permaneció unos segundos inmóvil mirando la bata de su madre.

—Deja eso y vámonos —le dije por los botellines, uno de los cuales seguía en su mano—. No tardarán en volver y nos van a pillar...

—Y qué —dijo—. Me da igual.

Entonces, cuando ya había reaccionado y removía el fondo de la maleta para dejar el botellín junto a los otros dos, lanzó un gemido y retiró bruscamente la mano como si se la hubiera picado un bicho escondido allí dentro. La sangre brotaba roja y espesa de la yema del dedo meñique.

—Chúpate la herida —le dije mientras examinaba el fondo de la maleta. Encontré una cuchilla de afeitar que se había salido de su funda—. Mira, ha sido eso. Te pondré alcohol.

—Para qué. Ojalá me muera desangrada de una vez —dijo Susana apretándose el dedo como si quisiera exprimirlo—. Ojalá.

—No digas eso. —Envolví el dedo provisionalmente con el borde de su camisón, seguíamos los dos arrodillados en el suelo junto a la cama y sus ojos buscaron de nuevo la bata malva de su madre en el cuarto de baño. La sangre traspasaba la tela del camisón y cogí su mano, destapé el dedo, lo llevé a mi boca sin darle tiempo a reaccionar y chupé. Fue sólo un momento: me miró sorprendida y, mientras yo chupaba, los otros cuatro dedos de su mano temblorosa y ardiente rozaban levemente mi mejilla de arriba abajo en un gesto que yo quise interpretar como una caricia. El miedo al contagio y la misma emoción me hizo cerrar los ojos, pero la sangre pegajosa empezó a apoderarse cálidamente de mi paladar y de mi cerebro: no me importaba morir tuberculoso mientras ella me mirara de aquel modo y sus dedos quemantes se deslizaran por mi piel. Pero enseguida apartó la mano y dijo:

—¿Qué haces, niño? ¿Quieres contagiarte?

—No me importa.

—Embustero.

—Te lo juro.

—Pues a mí sí que me importa... —Sé levantó y salió precipitadamente del dormitorio. Yo cerré la maleta, la empujé debajo de la cama y seguí a Susana escaleras abajo mientras sentía diluirse en mi boca su sangre caliente y dulce, la fiebre benigna del deseo, su necesidad de ternura y mis propios terrores y aprensiones.

2

Tumbada boca arriba en la cama, el brazo izquierdo doblado bajo la nuca, la cara muy pálida vuelta hacia mí y mirándome con indiferencia, ojerosa y distante, un clavel amarillo en el pelo y el gato negro de felpa sentado muy tieso y vigilante detrás de su cabeza, la colcha celeste colgando con una estudiada y romántica negligencia desde el borde de la cama hasta rozar los pies de la estufa de hierro que sostiene la olla con vapores de eucalipto, y detrás de todo eso la gran vidriera y más allá el sauce llorón del jardín, y aún más al fondo y arriba, dominando una escenografía atropellada y chata, la chimenea asesina vomitando su pestilencia negra y opresiva sobre la casa de cristal donde reposa la niña enferma...

Así de ingenuo y truculento era el dibujo que por

horrible

fin terminé de colorear y que Forcat aprobó después de aconsejarme algunos retoques; el clavel pasó del amarillo al rojo, y la frente mortecina, las apagadas mejillas y los pies desnudos de Susana adquirieron un delicado fulgor marfileño. No había conseguido meter el pavor en aquellos bonitos ojos, a veces tan alegres, y me felicitaba por ello. Susana le dedicó apenas una desdeñosa mirada.

El capitán, en cambio, se mostró satisfecho y se apresuró a guardarlo en su carpeta junto con la carta de denuncia y las firmas. Catorce firmas era todo lo que habíamos conseguido hasta el momento, pero él confiaba en que el dibujo que representaba a la pobre tísica en su sufrimiento llegara al corazón de los ciudadanos apelando a su solidaridad.

Me puse a trabajar enseguida en el otro dibujo y pensaba hacerlo muy parecido al primero en todo salvo en la figura de Susana recostada en la cama; ella quería verse en actitud soñadora y vestida con el *chipao* verde muy ceñido. Pero ni la postura soñolienta ni el exótico atuendo terminaban de salirme bien; empezaba el dibujo y lo rompía una y otra vez, un día porque no le gustaba a ella y al otro porque no me gustaba a mí. Sin embargo, luciendo ese vestido de seda todavía mal esbozado y apenas coloreado, cerrado hasta el cuello y como desaliñado, como descosido y con cortes laterales en la falda, Susana empezaba a parecerse a una china de verdad y había en el dibujo algo indefinible que sí me complacía, y que por supuesto se debía más a una combinación casual de los colores que a mis dotes de observador y a la destreza de mi mano: ahora el tumulto baboso expandiéndose desde la boca de la chimenea, el humo verdinegro suspendido sobre la cabeza yacente de Susana parecía ciertamente amenazar los sueños de lejanías y de sedas orientales que sugerían la postura de la muchacha tísica y su vestido. Precisamente por aquellos días ella me dijo que Forcat sabía de un paquebote inglés, el *Munchkin Star*, que dos veces al año zarpaba de Liverpool rumbo a Shanghai con escalas en Barcelona en octubre y en abril.

—Los cortes de la falda no son así —protestó una vez más cuando le enseñé el dibujo—. Te estás inventando el vestido, niño. Esos cortes han de ser un poco redondeados en las puntas...

—De eso nada —dije—. Lo he visto en las películas y son así. Pregunta a Forcat.

Me tiró la lámina a la cabeza, empapó su pañuelo en agua de colonia y se frotó el pecho y la cara, luego cogió las cartas y empezó un solitario sobre el tablero del parchís en su regazo.

—Cuánto tarda —dijo al cabo de un rato—. Cuanto más calor hace, más alarga la siesta. ¿No crees que habría que despertarle? ¿Por qué no subes a ver?

—Un día se va a enfadar.

—Deja ya esos lápices y sube a buscarle, anda —insistió Susana—. Es tardísimo, seguro que se ha quedado frito... Por favor, Dani.

Nunca encontré cerrada la puerta de su cuarto, pero yo llamaba con los nudillos y esperaba en el umbral. A veces dormía en calzoncillos y estirado boca arriba, las manos misteriosas apaciblemente cruzadas sobre el vientre, otras veces lo encontraba ya en pie y recién duchado, enfundado en su fantástico quimono negro y calzado con las sandalias de suela de madera, deslizando lentamente un cepillo por sus cabellos planchados y mirándose complacido en la luna del armario.

—Pensábamos que se había quedado dormido...

—¿Quién lo pensaba? —dijo—. ¿Susana o tú?

—Pues... Los dos.

—Eso está bien.

Tiró el cepillo sobre la cama, se volvió sonriendo y puso la mano grande y caliente sobre mi hombro guiándome hacia la escalera de caracol para bajarla juntos, yo por delante, y luego enfilamos el sombrío corredor en dirección a la soleada galería. Cuando entramos, Susana estaba recostada y se arreglaba las cejas con unas pinzas y el espejo de mano. En este momento el reloj del comedor dio una primera campanada y ella se incorporó en la cama como impulsada por un resorte, tiró las pinzas y el espejo y miró a su padre en la foto de la mesilla de noche. Y antes de que Forcat nos devolviera al flamígero amanecer que teñía de sangre el río Huang-p'u y el cristal de las ventanas del Bund, y encendía una pequeña rosa amarilla en el salón de Chen Jing Fang, Susana cerró los ojos y se quedó completamente inmóvil durante unos segundos frente al retrato del Kim. Mientras acababan de sonar las seis campanadas, el narrador estrábico, ya sentado en el borde del lecho, carraspeaba aclarándose la voz y meditaba sombríamente, él también, ante la rosa.

3

De pie junto al piano, el Kim coge la rosa y la mira obsesivamente, como si descifrara en sus pétalos reblandecidos por el calor y en su amarillo fuego apagado la clave del enigma. Anoche esta rosa había estado adornando una de las mesas del Yellow Sky Club y cuando fue dejada aquí, en esta copa, seguramente él ya dormía.

Interroga a la *Ayi* y no saca nada en claro. Por su parte, Deng pretende igualmente no saber nada, pero no sostiene la mirada del Kim y dice tímidamente y sin convicción que tal vez fue la doncella siamesa... Bruscamente el Kim agarra al criado por las solapas.

—Deng, escúchame bien. Soy responsable de la seguridad personal de madame Chen y haré mi trabajo a pesar tuyo y de quien sea, incluso a pesar de ella. Por el bien de tu señora dime lo que sepas o te echo a los cocodrilos, chino maldito... No bromeo. Anoche madame se acostó con jaqueca y dijo que no saldría. Pero salió, ¿verdad? ¡Contesta!

Deng asiente, asustado:

—Sí. Casi una hora después que usted... Hizo una llamada telefónica, se vistió y se fue. Me hizo prometer que no se lo diría a monsieur...

—¿A qué hora volvió?

—Muy tarde. Pasadas las cinco...

Que pudo verla llegar, dice, porque no consiguió conciliar el sueño, y que a esa hora, el temor de que pudiera ocurrirle algo malo a la señora lo sacó de la cama; que él había comprendido desde el primer día que monsieur Franch venía de Francia enviado por monsieur Lévy para proteger a madame Chen de algún peligro, y no deseaba otra cosa que ayudar, pero que anoche madame le ordenó guardar silencio sobre su salida y él tuvo que obedecer, aunque luego se arrepintió. Y que al ver lo tarde que era se alarmó y ya estaba a punto de despertar a monsieur y contarle lo ocurrido cuando, al cruzar el salón, llegó madame con una rosa en la mano y le pidió una copa con agua, puso en ella la rosa y la colocó sobre el piano; que respiró aliviado al ver a madame, y que nunca se habría perdonado a sí mismo si esta noche le hubiese ocurrido algo malo.

El Kim le hace ver a Deng la necesidad absoluta, anteponiéndola a cualquier otra consideración, de velar por la seguridad de madame Chen: todos sus movimientos, en especial aquellos que ella quiera ocultar, deben serle comunicados inmediatamente.

—No volverá a ocurrir, se lo prometo —dice el criado—. Pero por favor no le diga a madame que se lo he dicho...

—De acuerdo, Deng. Puedes retirarte.

La rosa se marchita sobre el piano y el Kim se la queda mirando unos instantes. No le gusta nada lo ocurrido y decide pasar a la acción. Pero durante tres noches seguidas, Chen Jing no sale de casa. Recibe la visita de alguna amiga y por la noche, encerrada en su habitación, sostiene largas conversaciones por teléfono con París. Durante la mañana se ocupa muy diligentemente de cuestiones domésticas con el servicio y por la tarde pasa muchas horas leyendo en la terraza.

Sabiendo que el Kim desea adquirir un par de quimonos de seda, Charlie Wong se presenta una tarde dispuesto a llevarle a la tienda de su mujer en el viejo Shanghai, cerca del teatro Great World. Chen Jing le dice que hoy tampoco piensa salir, pero aun así el Kim da instrucciones precisas a Deng: «Si la señora sale, me llamas a la tienda de madame Wong.»

Soo Lin, la mujer de Wong, lo ayuda a escoger los quimonos y se los cobra feliz y sonriente y sin hacerle el menor descuento, pero le regala otro —que después el Kim me regalará a mí, es este que llevo puesto—. Al salir de la tienda Wong le sugiere al Kim, de forma discreta e indirecta, que si alguna vez se siente solo en Shanghai y desea relajarse con una pipa de opio y disfrutar de compañía femenina en un ambiente agradable, que no dude en decírselo... El Kim agradece el ofrecimiento y lo rehúsa, pero en este mismo instante, estando los dos parados en un cruce de intenso tráfico, ve a Kruger salir de un automóvil blanco descapotado y meterse en un portal sobre el que pende un gran farol de cristal y rojas guirnaldas de papel de seda. El Kim se lo hace ver a Wong:

—¿Este caballero tan elegante no es el célebre Omar?

—Precisamente —dice Charlie Wong— acaba de entrar ahí buscando sin duda uno de esos agradables entretenimientos que acabo de sugerirle, querido amigo.

—¿Uno de los burdeles que él regenta?

—No. Es un fumadero de opio, aunque también...

—Espere —lo interrumpe el Kim parándose otra vez en la acera—. ¿Usted y este hombre se tratan?

—Pues... ocasionalmente. —Sonríe Wong con picardía—. Es una excelente persona y útil en muchos sentidos.

—¿El local es suyo?

—Creo que sí. ¿Quiere que entremos a echar un vistazo?

—Me gustaría conocer a Omar. ¿Puede usted presentarnos?

—Por supuesto —dice Wong.

El fumadero de opio es una especie de colmena alumbrada con velas de colores en la que todo, divanes y biombos laqueados, pipas y bandejas con servicios de té, sirvientes moviéndose con sigilo y fumadores recostados, parece flotar en medio de una atmósfera turbia y perfumada que acaricia las sienes y los párpados como los dedos cálidos y sabios de una mujer. Un chino viejo les recibe ofreciéndoles acomodo y una pipa, pero Wong le dice que antes desean hablar con el señor Omar y que luego tal vez les apetezca un té... Mientras, el Kim se adelanta. Algunos clientes, echados sobre arpilleras de costado o con las manos en la nuca, gozan de un sueño profundo, otros toman té o tazas de vino caliente.

Omar Meiningen se recuesta sobre un codo en su diván, la mano en la mejilla y observando aparentemente aburrido cómo una joven china arrodillada a sus pies le prepara una pipa y la calienta en la llama de la vela.

Wong alcanza al Kim y lo presenta a Omar, que le tiende la mano cortésmente, pero sin incorporarse.

—Si desean algún servicio especial —dice Omar mirando a Wong—, no tienen más que pedirlo...

—Es usted muy amable —dice el Kim—. Sólo quería saludarle. Me han dicho que nunca se llega a conocer Shanghai si no se conoce a herr Meiningen.

—También yo tenía ganas de conocerle, señor Franch. —Omar sorprende al Kim hablando un español más que correcto—. Como ve, hablo su idioma.

—Sé que vivió usted en Sudamérica unos años.

—Cierto. ¿Y qué más sabe usted de mí, señor? —sonríe el alemán—. ¿Sabe usted, por ejemplo, que le envidio? Es usted el hombre del día, o mejor dicho, de la noche. Desde que llegó a Shanghai se le ve en todas partes acompañando a la señora Chen Jing Fang. No me dirá que esto no es un raro privilegio, un regalo de la diosa fortuna.

—La verdad es que no merezco tanta suerte —dice el Kim devolviéndole la sonrisa—. Simplemente hay una antigua amistad con su marido. Le supongo a usted enterado.

Omar le mira fijamente unos segundos y luego coge la pipa que le ofrece la joven china con ambas manos.

—En ese caso —dice sin mirarle—, nuestro amigo Lévy es un hombre doblemente afortunado. A propósito, Wong, ¿cuándo iremos a Hangzhou a cazar patos?

—Cuando usted quiera —dice Wong.

—¿Le gusta la caza, señor Franch?

—El pato no es mi debilidad —dice el Kim, y observa el refinamiento y la parsimonia de las manos del alemán manejando la pipa de opio—. Aunque, a la hora de cazar, me da igual. Creo que hay un proverbio chino que dice: No importa que el gato sea negro o blanco, lo que importa es que cace al canario.

Omar se acomoda en el diván y sonríe levemente:

—No es un canario lo que caza ese gato del proverbio, señor Franch, sino un ratón. Un vulgar ratón. Y ahora, señores, me van a disculpar... Espero verle alguna noche en mi club, señor Franch, tendré sumo gusto en invitarle a unas copas.

—No faltaré.

Después de cinco días con sus noches sin moverse de casa, un viernes muy caluroso, al acabar de cenar, Chen Jing decide ir al cine Metropol y el Kim la acompaña. Ven una película china rodada en Shanghai con actores chinos y titulada *Spring River flows East*, algo así como el río de la primavera fluye hacia el este. El Kim no entendió nada de lo que pasaba en la pantalla, pero fue sensible a la armonía de las miradas y a cierto perfume de los sentimientos. Al salir del cine, ella sugiere tomar algo en el Silk Hat, el elegante club nocturno donde se puede bailar bajo las estrellas y donde espera encontrar a Soo Lin con su marido y otros amigos.

Media hora después, mientras Chen Jing se instala en una mesa del Silk Hat con la mujer de Wong y rodeada de admiradores incondicionales, un amigo del grupo conduce al Kim a la barra y le presenta a un ingeniero español que lleva doce años en China trabajando para una firma inglesa de tejidos de algodón con fábricas en Hong Kong y en Shanghai. Se llama Esteban Climent Comas, es un hombre simpático y robusto, tiene la misma edad que el Kim y la sorpresa que ambos se llevan al ser presentados es mayúscula: habían estudiado los dos en la Escuela de Ingenieros Textiles de Terrassa y pertenecían a la misma promoción. El Kim quiere celebrar este encuentro y lo invita a una copa, Climent bebe martinis y anda ya por el tercero, él pide un whisky con soda y evocan los tiempos de la Escuela, luego el Kim comenta su amistad con Michel Lévy y sus expectativas de trabajo en Shanghai.

Chen Jing, sentada con sus amigos en una mesa próxima a la barra, atrae las miradas de Climent.

—Qué mujer tan extraordinaria, y qué temperamento —dice admirado—. ¿Sabías que a los dieciséis años fue violada por los japoneses y recluida en un prostíbulo de Suzhou para disfrute exclusivo de la tropa? Cuando la conocí, hace dos años, estaba loca por un capitán mercante que ahora trabaja para su marido...

—El capitán Su Tzu —dice el Kim—. Su barco me trajo a Shanghai.

—Una extraña historia. Tu amigo Lévy la arrancó literalmente de los brazos de ese marino y se casó con ella. Siempre me he preguntado cómo diablos lo consiguió.

Media hora después, Chen Jing se acerca a la barra y sugiere al Kim que, puesto que ésta es una noche especial para él, ya que ha encontrado a un compatriota y lo está pasando tan bien, ¿por qué no se queda el tiempo que quiera y deja que ella se vaya con los Wong en su coche...?

Antes de que termine de hablar, el Kim ya ha detectado la chispa equívoca en sus ojos color miel y rápidamente toma una decisión:

—¿Quiere irse ahora?

—Sí, estoy cansada —dice Chen Jing—. Charlie me deja en la puerta de casa.

—Prométame que se irá directamente a la cama.

—Se lo prometo —sonríe con un mohín de resignación mirando al amigo del Kim—. El señor Franch cree que la conducta de esta pobre china solitaria y aburrida no es propia de una mujer prudente... ¡Es peor que un marido celoso!

Se despide riendo y poco después abandona el cabaret en compañía de Charlie Wong y Soo Lin. El Kim pide al barman el segundo whisky y otro martini, enciende el cigarrillo de Climent y el suyo y consulta el reloj: necesita dejar pasar un par de horas antes de actuar.

Esteban Climent, que parece bastante enterado de la vida social de los extranjeros en Shanghai, le hace un resumen de su aventura personal: en 1933 dejó su puesto en la fábrica textil de su padre en Sabadell y se fue a Inglaterra contratado por una firma de Manchester interesada en un tipo de lanzadera que él había innovado, y los ingleses no tardaron en enviarlo a Extremo Oriente para renovar los telares de sus empresas; primero estuvo en Japón y luego en Hong Kong, y en agosto de 1937, cuando los japoneses bombardearon Shanghai, él iniciaba las gestiones para instalarse aquí. Estaba en el Peace Hotel y aún recuerda que la orquesta tocaba *La cucaracha* cuando cayeron las primeras bombas... Eran tiempos difíciles, pero amigo mío, dice, los que vienen ahora no son mejores: cuando las tropas comunistas del general Chen Yi tengan paso libre hasta el Yang-tsé y se desplieguen a lo largo del río, la China nacionalista habrá perdido la guerra en el norte, y aunque la batalla final tarde en llegar, se ve venir el fin de las concesiones. Los capitostes extranjeros de Shanghai han empezado a temblar...

—Mira a tu alrededor —prosigue Climent—, mira a toda esa gente que se divierte alocadamente hasta la madrugada, esos tipos que deambulan a la luz de la luna empapados en champán y en cócteles explosivos, mira esa pista de baile abarrotada de americanos y europeos que no paran de dar vueltas y más vueltas y de beber como esponjas para no pensar en todo lo que van a perder si Dios y Chang Kai-shek no lo remedian. Fíjate, hay aquí yanquis y franceses que han navegado en sus fabulosos yates por el río Yang-tsé llevando como invitado a T. V. Soong, el banquero más importante de Asia y hermano de madame Chang Kai-shek... De nada les servirá. Mírales bien, amigo Franch, contempla estas elegantes parejas que bailan embelesadas, cegatas y orgullosas en su nube de ensueño, es un espectáculo único y maravilloso que probablemente jamás volverá a verse en Shanghai.

—Un poco mareante —opina el Kim con una sonrisa.

Pero merece la pena verse. Bajo la cegadora luz de los focos, la pista de baile es una convulsa llamarada. Al frente de la orquesta la hermosa y frágil vocalista china canta *Goodbye Little Dream, Goodbye* con lánguida voz de niña constipada. Indiferente al principio, luego cada vez más fascinado, los ojos escudados tras el humo del cigarrillo, el Kim deja vagar la mirada por esa irreal y radiante escenografía, el jardín iluminado bajo la noche estrellada y sofocante, la áspera fragancia de los setos ardiendo, lanzando dardos de plata al cielo, las parejas enlazadas por el talle que se besan caminando lentamente a contraluz y los solitarios y elegantes caballeros varados en el césped con su esmoquin blanco y el vaso en la mano, aturdidos un instante en medio de la rasante luz de plomo, quietos como estatuas de yeso meditando su abandono en un paraje olvidado. Pero la mirada del Kim no es indulgente, su retina apenas se deja impresionar: ese enmarañado esplendor, esa luz y esa música enmascaran la consabida historia de siempre, la reiterada crónica de dejaciones, renuncias y adioses. Nada había en todo eso que él no hubiese ya visto aquí con nosotros antes de la guerra, nada absolutamente que mereciera ser preservado del vendaval revolucionario que se avecinaba, salvo el amor y la amistad y las eternas verdades del corazón. Y por un breve instante, también ahora le fue dado vislumbrar al Kim un futuro arrasado, un mundo póstumo. Trozos de cristal de un vaso roto, o tal vez cubitos de hielo fundiéndose, brillan sobre el césped como pequeñas estrellas abatidas.

—Pero tú —añade el sabadellense interrumpiendo las reflexiones del Kim— no tienes nada que temer ni que perder.

—¿Ah, no? ¿Por qué?

—Porque la mujer de Lévy está emparentada con

el general rojo Chen Yi, y cuando éste se apodere de Shanghai, lo más seguro es que tu amigo haga valer su influencia para obtener ciertos privilegios. Franch, juraría que tienes el jornal asegurado, por lo menos durante algunos años.

El Kim bebe un sorbo de whisky y reflexiona. Luego dice:

—¿Conoces a Omar Meiningen, el dueño del Yellow Sky?

—No mucho.

—¿Qué sabes de él?

—Es un hombre de reputación dudosa. Pero eso en Shanghai no significa nada. Alguien me aseguró que fue un brillante oficial de la Wehrmacht que supo retirarse a tiempo.

El Kim le pregunta si cree que Michel Lévy trafica con armas al servicio de los comunistas. Climent admite la posibilidad:

—Ya te he hablado de su relación con el general Chen Yi.

—¿Y qué me dices de ese fantoche al que llaman Du *Grandes-Oreilles*?

—Cuidado con ese fantoche. Es uno de los cabecillas de las Tríadas. ¿Sabes qué es eso?

—Me lo imagino. Una especie de mafia.

—Es el jefe de la Quing Bang, una de las sociedades secretas más poderosas e influyentes. Aunque supongo que también a él se le está acabando el momio... Los comunistas barrerán toda esa mierda, espero.

—¿Crees que trabaja para Omar?

—No lo creo. Du Yuesheng ha manejado su secta al servicio de industriales y financieros bien conocidos, la crema de las concesiones extranjeras, a cambio de cierta tolerancia. Controla el tráfico de drogas con el beneplácito de la policía y seguramente con los dólares de tu amigo Lévy... Mira, no te metas en este berenjenal, es un consejo que te doy. En cuanto a Omar Meiningen, es un francotirador, un *outsider* que va a lo suyo. He oído que piensa liquidar sus negocios aquí y trasladarse a Malasia para traficar con el caucho.

Climent bebe sus martinis uno tras otro con una calculada premura, obedeciendo a un reflejo nervioso que a ratos le hace consultar su reloj. A las dos y media, de forma inesperada y después de ofrecerse al Kim para todo lo que necesite, se despide efusivamente deseándole suerte.

El Kim apura su whisky tranquilamente y poco después camina solo por Peking Road y luego por Kokien Road. La conversación con Esteban Climent lo ha deprimido; siente a su alrededor la incógnita de la ciudad y del mañana, pero esta noche, cuando menos, sabe adónde va y lo que le espera. Camina deprisa y al poco rato recobra la confianza en sí mismo, no porque haya bebido un poco más de la cuenta ni porque haya decidido pasar a la acción, sino por un deseo íntimo de sobreponerse al desencanto expresado por Climent: no podía, no quería creer en sus funestas predicciones. Aquellos sueños hundiéndose no le arrastrarían a él en su caída.

En Canton Road, a la luz de un farol, comprueba el cargador de la Browning —nota la culata más fría de lo habitual— y enciende un cigarrillo. Tuerce en Shantung Road. Los anuncios de neón se alzan fantasmales en medio de la noche. El Kim entra en el Yellow Sky Club.

4

Solamente en una ocasión pude traspasar la engañifa del negro armario ropero y llegar al escondrijo donde a ratos, ya muy de vez en cuando, se recluía el capitán, juraría que más para librarse de su mujer que para alimentar sus propios demonios. Era un cuchitril que había sido cuarto de baño y ahora estaba atiborrado de macetas y cajones de madera con geranios y claveles, había un catre, una silla, una mesilla de noche y encima un artefacto de madera con cables y filamentos y pilas oxidadas, parecía una alimaña peligrosa, pero no eran más que los muy torturados restos de una radio de galena. En el retrete y en el bidet, inutilizados ambos, cegados con tierra, crecían frondosas enredaderas de un verde esplendoroso, y del lavabo resquebrajado colgaban hasta el suelo brocados de madreselva en flor. Se adivinaba en todo ese furtivo ornamento floral la mano gorda y delicada de la *Betibú*. Un sol rabioso pero intermitente, cuando las nubes le dejaban paso, entraba por un ventanuco que daba sobre los descampados de la calle Cerdeña, y desde él podían verse las azoteas del barrio, las torres de la Sagrada Familia a lo lejos y, más lejos aún, el mar.

Me colé ese día en el reducto del capitán porque su mujer me lo pidió, para que ayudara al viejo a sacar el catre ya en desuso con sus tablas plagadas de chinches, que había que desinfectar. Encontré al capitán sentado en la silla y hablándole a un viejo micrófono grande como una palangana que sostenía en su mano y conectado a nada, sin cable. No se sorprendió al verme, pero se calló y guardó aquella reliquia en la mesilla. Siguiendo las instrucciones que doña Conxa nos daba desde el comedor, al otro lado del armario que ella ya había vaciado de ropa, el capitán y yo sacamos el catre y luego en la terraza sacudimos las tablas hasta hacer saltar todas las chinches, que la *Betibú* quemó cuidadosamente con papeles de diario. El esfuerzo dejó agotado al capitán y yo tenía la esperanza de que esta mañana renunciara a sus correrías en pos de firmas, pero no.

Cuando salimos a la calle, más tarde que otros días,

el cielo se había encapotado y lloviznaba en medio de un calor bochornoso. No pude convencer al viejo de volver a casa. Después de un par de intentos fallidos solicitando firmas entre el vecindario de la calle Congost, el capitán se apiadó de mí y me invitó a una gaseosa en una taberna que tenía la radio encendida sobre el mostrador.

—Buenos días, señores —dijo al entrar—. ¿Han escuchado ustedes por casualidad el interesante, oportuno y bien documentado comentario político que se acaba de emitir en EAJ 15 Radio La Salud Independiente?

Había cuatro parroquianos, tres en el mostrador y uno sentado junto a las barricas de vino, y respondieron a los buenos días, pero no a la pregunta. El capitán repitió la pregunta, elogiando al comentarista radiofónico.

—Que sí, hombre, Blay —dijo impaciente uno de los parroquianos—. Todos lo hemos escuchado.

—¿Y qué opinan, señores? Magistral oratoria, según mi leal saber.

—Un coñazo.

—Oye, tú, pues a mí me ha gustado —dijo un chistoso—. Tiene labia el tío.

—No le deis cuerda, va —aconsejó el tabernero bajando la voz.

—Menudo rojazo ese locutor, capitán, pero qué bien habla.

—Celebro que les gustara —dijo el capitán.

—Lo dicho, Blay, un coñazo de no te menees —insistió el primero.

—Le sugiero a usted que reconsidere su opinión —entonó el capitán—, porque se trata de un lúcido y valiente análisis de la situación nacional e internacional. En ninguna otra emisora, y mucho menos en ningún órgano de nuestra prensa amordazada, encontrará usted un comentario más cabal, exacto y atrevido sobre la actual situación política y social de la Europa en ruinas...

—Di que sí, Blay —atizaba el pitorreo con aire aburrido el otro contertulio—. Qué saben ésos.

El tabernero sugirió cambiar de tema, la manía radiofónica del capitán le ponía nervioso. Yo seguía bebiendo mi gaseosa. La taberna era un nido de sombras y, cerca de los toneles, olía suavemente a azufre. Un hombrecillo que se mantenía precariamente erguido frente a su vaso de tinto, mirándolo fijamente, se agarró al borde del mostrador con sus manitas de nudillos enrojecidos y dijo:

—A mí lo que me gusta es el programa de Taxi Key.

—Yo es que no sé de qué coño se queja, Blay —intervino con su aire cachazudo el que estaba sentado, guiñándole el ojo al tabernero—. La verdad es que nunca hubo tanta paz y tanta prosperidad en este país.

El hombrecillo cabeceó pensativo y murmuró:

—Prosperidad. Ah, sí, prosperidad. —Lo decía como si se tratara de un vino añejo muy apreciado, cuyo sabor y aroma acabara de recordar con los ojos cerrados—. Vaya que sí. Aquí este señor, el de la cabeza vendada, tiene razón.

—Usted qué sabe, con el morapio que lleva dentro —dijo el gordo.

—Pues anda que usted... Yo bebo vino con sifón, señor mío.

—Usted me la bufa.

—Señores, calma, así es la vida —entonó el capitán, y añadió: —Yo me emborracho de ella, ella quién sabe qué hará.

—No me venga con boleros, oiga —farfulló el gordo.

—No es ningún bolero —refutó el hombrecillo agarrado al mostrador—. Es una poesía muy bonita y muy triste.

—Sí, y usted un merluzo.

—Señores, hagan el favor. —El capitán me quitó la carpeta y se dirigió al hombrecillo, que acababa de vaciar su vaso de un solo trago—. Usted es nuevo por aquí. ¿Puedo pedirle una firmita en este importante documento destinado a reparar una injusticia?

Por alguna razón aquel hombre se sintió halagado y distinguido y firmó, estirando el cuello y mirando al gordo por encima del hombro. «Vámonos —dijo el capitán dándome con el codo, y añadió en voz baja—: Tienen las tripas llenas de gas y van a reventar de un momento a otro.» Pagó mi gaseosa y su vasito de blanco y volvimos a la calle dejando allí dentro a la parroquia otra vez amuermada, o quizá discutiendo lo de siempre con las gastadas palabras de siempre.

Algo indefinible, una obcecada premura empujaba al capitán ese día, y nos alejamos bastante de casa cruzando descampados de tierra gris y calcinada, humeantes terraplenes de basuras. Dejamos atrás la plaza de toros y de pronto, en medio de un páramo, inclinado levemente sobre una charca negra, vimos un vagón de ferrocarril herrumbroso con los flancos ametrallados y astillados. Los dos trozos de raíl que aún lo sostenían, y que ya no podían llevarle a ninguna parte, surgían de la tierra como negras serpientes retorcidas: lo que quedaba de una antigua vía que en tiempos cruzó este llano polvoriento erizado de matorrales y de ginesta seca. Era un viejo vagón de tercera con asientos de tablillas de madera y algún cristal entero en las ventanillas. Empezó a llover con fuerza y el capitán propuso refugiarnos en el vagón. En la plataforma desventrada crecían ortigas y cardos, y, dentro, sentado junto a una ventanilla, un vagabundo de ojos claros y piel renegrida apoyaba la frente en el cristal y el mentón en el puño. Podía estar dormido o muerto, y parecía encontrarse allí desde siempre, viendo girar a su alrededor una tierra masacrada y yerma.

198

—¿Adónde se dirige este tren, buen hombre? —preguntó el capitán Blay sentándose frente al vagabundo, que ni siquiera nos miró. Me fijé en sus labios jóvenes y bien dibujados, tersos en medio de la mugre del rostro. Como de costumbre, el capitán no iba a renunciar fácilmente a la conversación; palmeó amigablemente su rodilla y añadió—: Juraría que es el mismo tren que antes iba a Toulouse vía Port-Bou. Si lo es, vamos por buen camino, puede usted dormir tranquilo...

Pasó el chaparrón y de nuevo lucía el sol, yo urgía al capitán a irnos de allí cuando el vagón se ensombreció súbitamente, parecía que hubiese entrado en un túnel, y cabeceó un poco sobre la charca, con las maderas crujiendo y un hondo rechinar metálico. Le dije al capitán que habíamos llegado, y se levantó y me siguió sin rechistar, ensimismado y con gran fatiga. Me asusté.

—Este hombre parece muerto —dije cuando nos alejamos de allí.

—Y eso qué importa —dijo el capitán—. Los muertos aprenden a vivir enseguida, y mejor que nosotros.

—Volvamos, capitán. Hemos ido muy lejos.

Estuvo un rato callado, pensativo, y luego dijo:

—Lo que pasa es que este desgraciado tiene hambre. A ver si te fijas mejor en las cosas.

En la calle Argentona se paró, me pidió la carpeta y examinó la lista de posibles firmantes. Seguimos camino, pero el capitán no me devolvió la carpeta, la llevó bajo el brazo. En la esquina de la calle Sors con Laurel empezó a quejarse de flojera y dolor en las corvas.

—Hoy no sé qué me pasa —gruñó apoyándose en mi hombro—. No estoy muy fino. Siento las articulaciones como alambres de púas y la cabeza me da vueltas. Cómo pesaba el maldito catre, me ha deslomado... Será mejor que entremos en esta bodeguita.

Yo iba pensando en mis cosas y el calor me tenía atontado.

—Y además —añadió el capitán—, tengo otra vez la sensación de que esta ciudad está construida sobre terrenos perforados y minados, y que todos saltaremos por los aires de un momento a otro... De modo que estoy yo bien, esta mañana, coño.

—Creo que deberíamos volver a casa, capitán —le dije cuando entrábamos en la taberna—. No tiene usted buena cara.

—Será la vejez prematura. —Se quedó parado frente a un bebedor solitario sentado en una mesa y prosiguió—: Verá usted, mucha gente cree que soy un viejo prematuro. Y sí, estoy cascado, pero no es eso. Yo siempre he sido un prematuro. Lo que pasa es que últimamente la vejez prematura se me ha juntado con la juventud retardada, y oiga, hay días que no estoy para nada. Además, ya no tengo a nadie que me rasque la espalda.

Descansamos un rato en la taberna, el capitán encendió medio caliqueño y se bebió un vasito de tinto. Yo no quise nada. Al salir cruzamos la calle buscando en la acera de enfrente la sombra de las acacias y el capitán se sentó en el bordillo, junto a una cloaca, para atarse el cordel que sujetaba su maltrecha zapatilla. Entonces advirtió que había olvidado en la bodega la carpeta con las firmas y el dibujo, y me ordenó que fuera a buscarla. Le dejé allí sentado y fui por la carpeta, pero no estaba en el mostrador, y ni el tabernero ni el único cliente que había a esa hora la habían visto. El tabernero afirmó que el viejo lunático no llevaba ninguna carpeta cuando entró. Me quedé pensando, pedí un vaso de agua por favor y me demoré un rato, felicitándome íntimamente por la pérdida de la dichosa carpeta: ya no habría que llamar a más puertas, ya no tendría que andar subiendo y bajando escaleras y haciendo el ridículo ante desconocidos leyendo en voz alta la tremenda carta de protesta...

Salí nuevamente a la calle y lo vi sentado en el mismo sitio, la cabeza ladeada, rendida entre las rodillas, y los dedos de su mano derecha enredados en el cordel que se había soltado de la zapatilla. Un reguero de agua sucia y espumosa de jabón corría junto a sus pies hasta la boca de la cloaca, en la que asomaba un mustio y desbaratado ramillete de rosas blancas. Antes de llegar a su lado ya sabía que el capitán estaba muerto; lo intuí súbitamente al observar, conforme me acercaba, su mano yerta enredada en el cordel y la cresta rebelde de su pelo canoso agitada por una ligera brisa, un repentino alivio o una quimera del aire que ni su piel ni su corazón podían ya sentir.

Corrí a avisar al tabernero, que salió y volvió a entrar y llamó por teléfono a la Cruz Roja. Al lado de la bodega había un colegio religioso para niñas pobres y se acercaron dos monjas, una de ellas hizo la señal de la cruz en la frente del capitán y la otra, muy joven, dijo que a lo mejor no estaba muerto todavía, pero yo sabía que sí lo estaba. Viéndole allí replegado sobre sí mismo y con la cabeza ladeada cautelosamente sobre la cloaca, como si captara con el oído muy atento la constante expansión subterránea y silenciosa del gas, el mismo gas fantasmal y mortífero que un día invadió su cerebro a orillas del Ebro, parecía más absorto que nunca en sus cavilaciones y al mismo tiempo husmear la fragancia pútrida de las flores y del alcantarillado, un olor a rosas pasadas y a muerte que sin duda le habría animado a denunciar nuevos agravios y malentendidos. Porque a fin de cuentas, hoy lo sé, entre ese gas quimérico que salía de las cloacas para adormecernos y el valeroso convencimiento que tenía el viejo de la existencia real de ese gas, no había sino un ligero malentendido. En cierta ocasión me dijo que todos los disparates que le reprochaban y las muchas locuras que había cometido en esta vida no eran sino ensayos y variaciones de una sola y misma locura... que nunca acertó a cometer, porque no sabía exactamente en qué consistía.

Como siempre, yo no sabía qué hacer y me senté a su lado y terminé de atar el cordel a su zapatilla. Después llegó la ambulancia, lo tendieron en una camilla y se lo llevaron al Clínico mientras yo corría a avisar a doña Conxa.

En cuanto a la carpeta extraviada, nunca apareció. De haber vivido para saberlo, el capitán seguramente habría pensado que se la robaron y habría organizado la de Dios es Cristo públicamente. Imagino que la perdió en la calle, y que si alguien la recogió y la abrió, dedicaría tal vez una sonrisa compasiva a la carta de denuncia, a las pocas firmas solidarias y a mi torpe dibujo, antes de volver a tirarlo todo.

Pero algo no se perdió. Porque de algún modo, después de tanto callejear juntos por el barrio y de aguantar sus monsergas, y a pesar de mi vergüenza y mis reproches y de morirme siempre de ganas de dejarle plantado y escapar corriendo a la torre de Susana, al ámbito de la ensoñación, al cálido y dulce nido de microbios que diariamente me acogía y me protegía de la mentira y la miseria del exterior, el viejo pirado había conseguido contagiarme una brizna de aquel virus que le sorbía el entendimiento, y a veces a mi también me parecía oler la fetidez del gas en las cloacas y tragar la mierda negra que babeaba la chimenea y que secaba los pulmones de Susana, y precisamente por eso, en las dos últimas semanas que pasé con él vagando por las calles, secundé en la medida que fui capaz la batalla perdida del animoso anciano.

Así, con el tiempo y casi sin darme cuenta, el escenario vital de mi infancia se me fue convirtiendo poco a poco en un paisaje moral, y así ha quedado grabado para siempre en mi memoria.

Al entierro acudieron algunos pálidos espectros que yo conocía muy bien, sombras tabernarias y astrosas, aquellos mudos interlocutores del capitán que habían aguantado estoicamente sus peroratas trasegando un vino áspero arrimados a los mostradores y a los viejos toneles de tantas bodegas de Gracia, La Salud y el Guinardó. También a Forcat se le vio en la iglesia, acompañando a la señora Anita, y allí estaban también los hermanos Chacón y algunos vecinos de doña Conxa, asistida por mi madre. Un callista extremeño que mi madre conocía del hospital, un tal Braulio, al que ella ya había invitado a cenar en casa alguna vez, se ocupó de los trámites en el Clínico y en la funeraria y además atendió a doña Conxa en todo momento; mi madre se lo agradeció mucho y desde ese día le demostró un especial afecto.

Una noche al llegar a casa mi madre no estaba y encontré junto a la cena una nota en la que me decía que estaba en el cine Roxy con Braulio y con Charles Boyer, y me reí de la ocurrencia, pero no estoy seguro de haberme alegrado. En esa época me irritaba un poco la tendencia de mi madre a despojar de sentido el pasado y el futuro, sustituyéndolo por el afán del día, un sentimiento religioso cada vez más acusado y el calor ocasional de algunas amistades del barrio o de ese mismo Braulio. Encendí la radio, me senté a cenar y me acordé del capitán Blay encogido sobre el bordillo de la acera en la calle Laurel, el viento meciendo su albo penacho sobre la cabeza rendida, y me dije que tal vez en el último momento tuvo la suerte de pensar, aunque sólo fuera durante un segundo fugaz, no en su casa que había sido una cárcel ni en su paciente y atrafagada Conxa, y tampoco en los hijos muertos que en su recurrente quimera junto a las brumas del Ebro nunca se acababan de caer ni de morir, sino en lo único que de verdad poseía y reconocía como inequívocamente suyo, la sobada carpeta que esperaba recuperar y que él creía testimonio elocuente contra la infamia y la dejación, y que, en el fondo, no era más que un extravío de su cólera, un quebranto de la memoria, la devastada conciencia de otra ignominia que muchos preferían olvidar.

CAPÍTULO OCTAVO

1

El Kim se dispone a afrontar su destino.

Una vez dentro del Yellow Sky Club se desliza sin llamar la atención hasta un extremo de la barra y permanece un rato allí de pie, en la sombra, la espalda contra el dragón amarillo enroscado en la columna y muy cerca de la puerta azul que conduce a las habitaciones privadas de Omar. El local está muy animado y en la barra no hay sitio, ni él lo busca, prefiere que el barman no le vea. Observa a un camarero con su bandeja de bebidas dirigiéndose hacia la puerta azul, le ve empujarla con el codo y desaparecer escaleras arriba, y entonces se sitúa junto a la puerta y espera. Al otro lado de la convulsa pista de baile asaetada por luces rojas la orquesta termina de tocar *Bésame mucho* y seguidamente ataca *Continental*, y de repente, otra vez, en los meandros alegres de la melodía que un día ya lejano cobijó tanta ensoñación suya y de Anita, tantas expectativas de plenitud amorosa y de aventura, surge el recuerdo de otro cabaret, un baile-taxi situado en la Rambla de Cataluña y llamado precisamente *Shanghai* en la Barcelona invernal de 1938 bajo las bombas; allí, una noche que el Kim disfrutaba de permiso, a una gitana resalada y embustera que iba de mesa en mesa diciendo la buenaventura le compró un falso mantón de Manila para Anita y le cambió su flamante cazadora militar de cuero por un collar de cuentas de vidrio... que él había creído muy valioso.

Reaparece el camarero con la bandeja vacía y el Kim se cuela por la pequeña puerta y sube silenciosamente la escalera angosta y alfombrada, bajo una tenue luz malva. Le extraña no encontrar a nadie en su camino, que no haya vigilancia. Alcanza un rellano con dos puertas, una de ellas cerrada; la otra da paso a una austera salita violeta y más allá a una serie de pequeñas estancias decoradas en azul pálido y abarrotadas de grabados, xilografías, rollos y cuadros labrados en seda con tinta china y colores suaves, y libros amontonados sin orden, figuras de marfil y de jade, biombos y divanes... Oye no muy lejos un tintineo incesante, como el de los bolillos haciendo encaje que alegró los solitarios juegos de su niñez en el jardín de su abuela en Sabadell, pero más delicado y evanescente. Al final de su recorrido, ya con la mano entre las solapas de la americana y rozando con los dedos la culata de la Browning, llega a un salón en penumbra con un anexo escarlata protegido por una cortina de bambú en la que hay pintada la cabeza de un tigre enseñando las fauces. El Kim detecta el olor sosegado del opio y avanza ahora rasgando jirones de humo azulado suspendidos en el aire como gasas perfumadas, las tiras de bambú de la cortina se agitan suavemente por efecto de un ventilador y tintinean y la cabeza del tigre parece cobrar vida, avanzar hacia él con paso elástico y resuelto, hasta que, bruscamente, una mano crispada surge en medio de la cabeza del tigre y la parte en dos y detrás aparece Omar Meiningen en quimono, descalzo y con el pelo revuelto, mirando al Kim con una mezcla de furor contenido y de relativa sorpresa.

Tras él, alguien se incorpora cautelosamente en medio de la penumbra rojiza de un nido de cojines de raso, sábanas revueltas y lentas espirales de humo, alguien que, antes de dejarse ver, el Kim ya sabe quién es: Chen Jing Fang.

2

No sé si lo estoy contando bien. Éstos son los hechos y ésta la fatalidad que los animó, los sentimientos y la atmósfera que nutrieron la aventura, pero el punto de vista y los pormenores, quién sabe. Tenía Forcat el don de hacernos ver lo que contaba, pero su historia no iba destinada a la mente, sino al corazón. Desde el primordial y seguramente apresurado testimonio recogido por él de labios del propio Kim y luego recreado para sí mismo quién sabe la de veces, primero en su amargo y solitario confinamiento de Toulouse y después aquí, en su cuarto de invitado o tal vez en la misma cama de la señora Anita, seleccionando episodios y perfilando detalles cada noche para poder regalarle a Susana día tras día su melancólica versión con tanto rigor geográfico y amorosa precisión de nombres, ambientes y emociones, lo cierto es que la azarosa intriga que llevó al Kim desde su refugio en el sur de Francia a esta cálida alcoba de Shanghai enardecida por el opio *echauffée* y la traición había hecho un viaje tan largo, fraudulento y accidentado, que era imposible que la imaginación no hubiese contagiado la memoria, confundiendo la peripecia vivida y la soñada.

Por eso, hoy como ayer, la palabra la tiene Forcat.

Me habló de su cólera al verlos juntos y de su intención de acabar con los dos amantes allí mismo, pero yo sé muy bien que exageraba, que se dejó llevar por un impulso irreflexivo: el Kim no es un asesino. Se propone dejar bien claro el porqué de sus actos, a qué ha venido y en nombre de quién, en memoria de qué afanes casi enterrados, solidario con qué sombras y fantasmas, y después obrar en consecuencia. Pero además, el porte tranquilo y la mirada del alemán, altanera y a la vez resignada, como si ya supiera que él vendría esta noche y le hubiera estado esperando, le aconsejan ser algo más que precavido. Chen Jing está detrás de Omar, todavía incorporándose; se ciñe al cuerpo un quimono con flores de loto y su boca ahora pálida se abre como una herida en la sombra, como si volviera a surgir de las páginas del libro.

—Muy bien —dice Omar con serena amargura—. Ahora ya puede usted informar a Lévy.

—Todavía no, Kruger. Antes...

—Yo no me llamo Kruger.

—Antes debo terminar un trabajo que empecé en la Francia ocupada en abril del cuarenta y tres. En Lyon concretamente.

Se desabrocha la americana y, con un gesto que no es más que el reflejo de otro, lleva su mano hasta el sobaco, pero no para empuñar la pistola. De todos modos, Omar cree entender:

—Un trabajo que consiste en matar.

—No hemos tenido otro en los últimos diez años —dice el Kim—. Como usted, coronel.

—¿De qué coronel habla...? ¿A qué viene llamarme así?

Chen Jing se interpone repentinamente entre los dos, arrimada a Omar y como queriendo protegerle con su cuerpo. Mira al Kim con ojos espantados y dice:

—¿Qué se propone usted? ¿Quién es Kruger?

—Que se lo diga él —responde el Kim—. Vamos, coronel. Atrévase.

—No sé de qué me habla —dice Omar.

El Kim no aparta la mirada de Chen Jing:

—Pregúntele quién es, madame.

La joven china mira a Omar y vuelve a mirar al Kim:

—Se lo pregunto a usted, monsieur Franch. ¿Quién es Kruger?

El Kim intuye que algo no encaja; que tal vez es la hora de la traición, pero ¿de quién? Responde con voz monótona, sin la menor afectación:

—Es el hombre que torturó a su marido. Helmut Kruger, coronel de la Gestapo. Cometió atrocidades en un sótano de la Place Bellecour, en Lyon, donde tenía su cuartel general. Allí no pudo acabar con Michel y al parecer se ha propuesto hacerlo ahora...

—Está usted loco —corta Omar—. ¿De dónde ha sacado semejante patraña?

Pero el Kim no le mira a él, sino a Chen Jing: aguarda su desmentido o su insulto, mientras su boca se pliega en un gesto reflexivo. Está tenso, pero quiere mantener la cabeza fría. Omar advierte esa precaria combinación de firmeza y recelo en la actitud del Kim, y escruta sus ojos antes de hablarle en su español con suave acento argentino:

—No tengo un pasado muy limpio, señor, si es eso lo que quiere saber; muy pocos lo tienen saliendo de una guerra. Pero le aseguro que no soy ese hombre que dice. Mi nombre es Hans Meiningen, nunca lo oculté y así consta en mi pasaporte argentino. Pero en Shanghai se me conoce por Omar. En el año cuarenta y tres yo era un soldado de la Wehrmacht y estaba en Varsovia, y no quiero contarle lo que el mando alemán nos obligaba a hacer allí... Fui trasladado a Casablanca con la escolta personal de un coronel, pero ya había visto lo suficiente y deserté. Soy un desertor, amigo, y nunca estuve en Francia. Viví dos años en Buenos Aires y después en Chile, antes de venir aquí. No soy el hombre que busca. Me confunde usted con otro, comete un grave error...

—Ningún error, amor mío —dice Chen Jing, y se aprieta contra él. Luego sus ojos implorantes buscan los del Kim—. Ya suponíamos que mi marido le envió a usted para vigilar mis pasos, pero no le di importancia... Ahora comprendo que su intención no era sólo ésa, que lo dominaba algo más que un ataque de celos, algo mucho más horrible... Michel le dijo a usted que Omar es aquel torturador odiado, y así justificaba su muerte. Pero Omar no es el coronel Kruger, monsieur, sólo es mi amante, y mi marido lo sabía muy bien cuando le pidió a usted que lo matara, diciéndole que era una amenaza para mí... Matar a Omar, no a Kruger, eso quería, a esa monstruosidad lo han llevado los celos. ¿Comprende ahora?

Llega desde abajo el eco apagado de la orquesta y la voz delgada y gangosa de la vocalista china. El Kim fija la sombría mirada en Chen Jing, sin un parpadeo, sin mover un músculo de la cara.

—Repita eso —dice—. Quiero oírlo otra vez, madame.

—Está bien claro —responde ella—. Omar es el objetivo, el que debe morir. Aquí no hay ningún coronel Kruger.

Sin poder apartar todavía los ojos del rostro demudado de Chen Jing, reconociendo en la serena firmeza de su voz el cariño y la entrega hacia el hombre que tiene a su lado y al que se arrima deseando protegerle, el Kim guarda silencio un rato y luego se gira despacio, parece buscar algo con los ojos, tal vez un cenicero, porque ha sacado la pitillera y enciende un cigarrillo. Su actitud es equívoca porque se muestra frío y parsimonioso, como si nada de lo que le han dicho tuviera que ver con él, cuando en realidad está secretamente animado por la violencia. Prueba a convocar de nuevo en su fuero interno el brillo de la desesperación en la mirada huidiza de Lévy durante su entrevista en aquella blanca e inmaculada habitación de la clínica Vautrin, intenta ponerle al camarada el antifaz de la traición, pero no ve más que a un inválido en una silla de ruedas atenazado por el dolor y el odio, acosado por la soledad y el miedo a morir.

—Y por la misma razón —prosigue Chen Jing— le pidió a usted que se apoderara discretamente de un libro que yo regalé al capitán Su Tzu al término de mis relaciones con él, antes de casarme... Sé que se hizo usted con el libro porque el capitán me lo ha contado. Hay en ese libro una muy especial dedicatoria a Su Tzu, y es más que amorosa, monsieur, es apasionada y muy atrevida —confiesa con cierta arrogancia la joven china—. Mi marido siempre quiso poseer el libro, era una idea que le torturaba... Todo esto es bastante triste y un poco ridículo, pero es así. Michel no sólo está enfermo del cuerpo, también lo está del espíritu. Yo sé que fue un patriota valeroso y un idealista, un hombre de honor en su país, y ha sido para mí, al principio de nuestro matrimonio, un marido atento y generoso, pero su quebranto físico, la postración y los celos, y sobre todo el recuerdo obsesivo para él de cierta infamia que sufrí en mi adolescencia, fueron envenenando su cerebro poco a poco... ¿Entiende, monsieur?

Omar la toma suavemente por los hombros y la obliga a sentarse y a que se calme. Luego el alemán se vuelve hacia el Kim y dice:

—Y tampoco se confunda usted con mis intenciones. He comprado una plantación de heveas en Malasia y pienso llevarme a Chen Jing conmigo. Nada nos retiene aquí, todo va a cambiar dentro de poco y ni ella ni yo queremos ver ese cambio. El Shanghai de mañana no es para nosotros.

Pero la mirada inquisitiva del Kim sigue fija en Chen Jing, y ella sostiene sin pestañear esa mirada. Luego él bruscamente le vuelve la espalda, mejor dicho, se revuelve hacia sí mismo interrogándose sobre una crédula sombra del pasado, el espectro de una lealtad llamado Kim Franch que le trajo hasta aquí desde muy lejos y de cuya maldita buena fe ahora reniega. Así pues, el hombre que él admiró y respetó lo ha estado utilizando con fines criminales y en provecho propio para enmascarar un problema emocional y doméstico; en el fondo, una puñetera simpleza: curarse de un ataque de cuernos. No sabe si echarse a reír o a llorar. Lo que más le duele es que Lévy, perdida la razón o no, lo haya hecho al amparo de aquel ideal que les unió solidariamente en la lucha por la libertad y la justicia, aquel sueño que había acompañado al Kim durante toda su vida llenando de sentido cualquiera de sus actos, y que le había llevado hasta Shanghai comprometiendo temerariamente su futuro y arriesgando su vida, para dejarle finalmente tirado en el umbral de una burda patraña y frente a dos amantes nada convencionales, decididos y expectantes, aturdidos los tres por la rabiosa estratagema de Lévy...

Una vez más, muchachos, parémonos aquí un instante, junto al Kim, y fijémonos en su estilo ante la adversidad, observemos su escueta y severa gestualidad frente a la derrota, su desencantada manera de volverle la espalda a los espejismos de la vida y a las zancadillas del ideal. No dejará entrever ninguna sorpresa, no asomará a sus ojos ninguna señal acusando el golpe, ningún resentimiento ni amargura, salvo el antiguo desacuerdo consigo mismo que ya llevaba enroscado dentro de su pecho al venir aquí, una tensión moral entre el corazón y la mente de la que nunca pudo librarse, ni siquiera en los fogosos años que templaron sus ilusiones y su solidaridad, cuando más contagiosa era la esperanza en el mañana y más seguro se mostraba él de luchar por una causa justa, cuando aún estaba lejos la misión en Shanghai y ni siquiera había nacido el alacrán de la venganza con su aguijón de fuego. Ahora, convencido de que ya las palabras sobran, las suyas sobre todo, con el dedo índice eleva un poco el ala del sombrero sobre su frente, como librándose de algún simulacro impersonal, luego se inclina reflexivamente sobre el cenicero en la mesita laqueada, aplasta el cigarrillo con meticulosa pulcritud, mira a la pareja de enamorados con una sonrisa ligeramente descreída, no dedicada a ellos, sino seguramente a sí mismo, y dando media vuelta se va por donde ha venido.

La noche aún le reserva otra sorpresa. Cuarenta minutos después, cuando entre en el salón iluminado y desierto del hogar de Chen Jing, sonará el teléfono. La llamada será de la clínica Vautrin en las afueras de París, donde ahora son las siete de la tarde, y el mensaje muy escueto: «Lamentamos comunicarle que monsieur Lévy ha fallecido en el quirófano en el transcurso de una delicada operación...»

Pero mientras se adentra en la noche sofocante por Kiukiang Road de vuelta a casa, el Kim aún no lo sabe y su pensamiento está muy lejos de París y del trance de su maquiavélico amigo. Desemboca sin prisas en el paseo del Bund y se para a mirar el lento y silencioso fluir del Huang-p'u acodado en el pretil sobre los muelles sombríos. No alcanza a ver lo que está mirando, si es que mira algo. No ve allí mismo, ante sus narices, el torbellino abriéndose como un ojo insomne en medio de las sucias aguas dormidas, una pequeña espiral causada por alguna corriente profunda y violenta del río, y que se traga vertiginosamente todo cuanto flota a la deriva a su alrededor. De un modo confuso, el Kim siente que ya no hay tiempo para casi nada, salvo quizá para volver a casa... Pero ¿qué casa? ¿Cuál es mi casa, dónde está mi casa? Desde el embarcadero llega un persistente y cansino chapoteo y un aroma dulzón de residuos aceitosos y de flores pútridas, de afanes del día desvanecidos. Risueñas culebras de luz se deslizan por la superficie del río y se reflejan ondulantes en los costados grasientos de los buques, mientras aguas abajo, llevados por la corriente imperceptible y fangosa, desfilan ante el Kim uno tras otro los rostros de los compañeros muertos o desaparecidos en la vorágine sangrienta de diez años, primero en las trincheras y en las cárceles de la retaguardia y luego en las filas de la resistencia o exterminados en Mauthausen o en Buchenwald, y vuelve a leer sus nombres en la lápida sumergida del recuerdo y vuelve a sentir en la sangre aquel vértigo de promesas que un día no muy lejano la vida les susurró a todos ellos, y que ya no se iban a cumplir. Grave silencio de ahogados sube desde el río y él prueba solidariamente por última vez a mirarse en las aguas turbias, a mezclarse con ellos y ahogarse también y desaparecer, pero no siente nada. Durante todo su frenético exilio el Kim se contempló en el espejo del pasado de una manera cómplice, hasta que un buen día decidió romper ese espejo y mirarse en el del futuro juntamente contigo, tu madre y un par de canciones siempre en el recuerdo, ya ves qué poca cosa, niña, qué ligero se le quedó el equipaje de la esperanza; pero ahora piensa que tal vez ya es demasiado tarde...

¿Qué nueva derrota era ésa, y cómo no acertó a prevenirla? Y vuelve a hundir la mirada en el río del tiempo y se pregunta ¿dónde nos equivocamos? ¿Cuándo se torció el camino, dónde extraviamos la utopía? ¿Por qué tanta fe y tanto vigor moral se trocaron en egoísmo y superchería?

Entonces empieza a llover con fuerza sobre los muelles y la frondosa arboleda del Bund exhala un intenso aroma que se mezcla con el hedor del Huang-p'u. Antes de proseguir su camino, el Kim se lleva la mano al corazón y a la pistola en la sobaquera, quién sabe si con intención de arrojar ambas cosas a las oscuras aguas del río, aunque yo juraría que sólo desea deshacerse de la pistola, así que tranquilízate, princesa, que no acaba aquí la historia, bromeó Forcat guiñándole el ojo estrábico a Susana y cogiendo amorosamente su mano...

CAPÍTULO NOVENO

1

Viniendo de la calle o del jardín, o tal vez de más cerca, quién sabe si del corazón mismo de la primavera que Susana ya vislumbraba en sus sueños, o quizá del vendaval de la aventura que aún nos tenía atrapados en la ciudad remota y fantástica, lo cierto es que un repentino olor a tierra mojada penetró en la galería, y entonces Forcat calló. Era al atardecer de un miércoles, último día de agosto, y era extraño ese olor porque no había llovido ni la señora Anita había empezado aún a regar el jardín; andaba atareada en la cocina cuando llamaron al timbre de la puerta.

No habíamos visto a nadie cruzar la verja del jardín porque las persianas estaban echadas. Desde la puerta de entrada llegó la voz de un hombre hablando con la señora Anita, y al oírla, Forcat se demudó visiblemente, soltó la mano de Susana y se levantó del borde del lecho para ir a sentarse a la mesa camilla, donde se quedó muy quieto mirando con fijeza mi dibujo ya casi terminado. Yo estaba sentado al otro lado de la cama y también me levanté, aunque no sabría decir qué me impulsó a ello.

—Aquí hay un hombre que al parecer te conoce —anunció la señora Anita desde el comedor, precediendo al visitante. Forcat no alzó la vista del dibujo, mostraba en su quietud ensimismada un singular empeño, y ella añadió con cierta cautela en la voz—: Dice que se llama Luis Deniso y que viene de Francia...

Aún no había entrado en la galería cuando ya Forcat inclinaba la cabeza y ponía muy lentamente las manos sobre la mesa camilla tapando con ellas mi dibujo, como si ahora quisiera sujetarlo ante una inminente ráfaga de viento, protegerlo de la lluvia o tal vez ocultarlo a la mirada del intruso, preservarlo del odio y la desesperación que lo traían aquí y que él ya había percibido nada más oír su voz.

—Hola, Forcat. —La mano izquierda en el bolsillo de la americana, moviéndose con una soltura estudiada, el lugarteniente del Kim en Toulouse se acercó y palmeó su espalda. Seguidamente saludó a Susana y se interesó amablemente por su salud, pellizcó su barbilla y le dijo que era muy guapa y que ya lo sabía por su padre. Susana se daba aire con el abanico de seda y miraba con descaro y curiosidad al recién llegado, que apenas reparó en mi presencia. Un amigo de mi hija, dijo la señora Anita, que había empezado a enrollar las persianas apresuradamente y algo nerviosa. El último sol de agosto se remansaba en el jardín.

Lo primero que me llamó la atención del *Denis* fue que no sonreía con los labios, sino con los ojos; tenían sus ojos un fulgor turbio, enfermizo, y establecían de algún modo una relación solapada y fuertemente sensual con la boca dolorida y grande, bien dibujada. Supongo que esos detalles de su persona, los más cálidos de una apostura fría y distante a la que Susana tampoco había de mostrarse indiferente, no llegué a captarlos totalmente aquel día, sino más adelante, cuando el drama íntimo que lo trajo a la torre ya era del dominio público; eran los ojos y la boca de un hombre poseído por una obsesión, una fiebre que lo consumía. Desde que Forcat nos habló de él a Susana y a mí, haciéndonos ver tan vivamente su elegante cojera y sus maneras distinguidas al despedirse del Kim en Toulouse, después de engrasarle la pistola y desearle buena suerte, el apuesto personaje y su apodo habían permanecido en nuestra conciencia ejerciendo una extraña fascinación.

Llevaba un traje azul marino de americana cruzada y corbata verde oscuro que imitaba la piel de serpiente, y era más joven de lo que me había figurado, o tal vez lo parecía, guapo, ojeroso, esbelto y de una elegancia tocada por la premura de gustar, afectada y jovial.

Forcat mantenía su extraño silencio y el *Denis* reparó en su quimono chino de amplias mangas estampado con flores rojas.

—Vaya con el pintamonas de la Barceloneta —dijo—. Cómo has prosperado. Me dijeron que estabas aquí, gorroneando como siempre, pero no te suponía tan bien instalado y con tales refinamientos.

—¿Y tú...? —se interrumpió Forcat sin mirarle, la voz enredada en una flema. Carraspeó, y después de una pausa, como si hubiese decidido súbitamente hablar de otra cosa, añadió—: ¿Cuándo has llegado?

—Hace un par de semanas. —Con ambas manos en los bolsillos del pantalón, el *Denis* apoyó la espalda contra la vidriera y buscó la mirada de la señora Anita, que se había sentado en el borde de la cama, pero lo que añadió parecía dirigido a Forcat—: ¿Te sorprende...? —Esperó unos segundos y luego añadió—: Bueno, vamos a lo que importa. ¿Qué se sabe del cabronazo del Kim? ¿Habéis tenido noticias, tú o la familia?

La señora Anita y su hija miraron a Forcat esperando una respuesta, o por lo menos un signo de extrañeza. Pero Forcat no reaccionó, y entonces Susana clavó sus ojos brillantes en el *Denis*, tiró el abanico sobre la cama, abrazó el gato de felpa contra su pecho y dijo con su voz más rencorosa:

—¿Por qué habla así de mi padre? ¿No sabe que está muy lejos...?

—Ya. Muy lejos. Pero dónde.

Antes de responder, Susana lo miró con recelo, fijamente:

—Está en Shanghai.

—¿De veras? —el *Denis* simuló sorprenderse y abrió los ojos desmesuradamente—. ¡Coño, sí que está lejos! ¡Vaya si lo está! ¿Y por qué no en Pekín, o en Bagdad, o en la Conchinchina? ¿Quién te ha contado ese cuento, preciosa? —Volvió a considerar irónicamente el silencio de Forcat y luego miró a la madre de Susana—. ¿Usted qué dice, señora? ¿También usted cree que este hijo de puta ha ido a esconderse tan lejos? La verdad, yo juraría que Carmen... —En este punto se le quebró la voz y eso pareció contrariarle, perdió seguridad y meneó la cabeza y carraspeó con una energía innecesaria—. Bueno, ella apenas sabe leer y escribir y creo que no sabría señalar eso en el mapa, pero que está muy lejos sí lo sabe, al otro lado del mundo, y me consta que no le gustaría vivir tan lejos... No, esto debe ser una broma. ¿Tú qué opinas, Forcat, mosquita muerta? ¿O prefieres hacerte el longuis? Éste sí que es un tipo raro —añadió recuperando su aplomo y buscando otra vez los ojos expectantes y temerosos de la señora Anita—. Ahí donde le ve, sabe griego y latín... ¡Lo que sabe el tío ése!

La señora Anita miraba al *Denis* con espanto.

—¿De qué está hablando? —dijo con una voz que no era la suya—. ¿A qué ha venido usted a mi casa?

El *Denis* enarcó las cejas y esbozó media sonrisa:

—Entonces es verdad —dijo—. Usted aún no sabe nada.

—¿Qué es lo que debo saber?

—Pregunte a Forcat. Él le dirá por qué estoy aquí, qué vientos y qué demonios me han traído.

Forcat no reaccionó y el *Denis* lo expuso fríamente y sin la menor acritud, con una voz inanimada que ya se había acoplado a la fatalidad: venía para saber del Kim, por si en esta santa casa se tenían o se esperaban noticias suyas, por si la señora Anita creía, no ya que pudiera volver a su lado algún día, que si eso fue siempre poco probable, ahora era ciertamente imposible, pero sí por lo menos acordarse de su hija y venir a verla, o tal vez escribir para saber de ella; por si Forcat o alguien conocía su paradero en alguna parte de Cataluña o quizás en algún pueblo perdido del sur de Francia, según él suponía, en algún maldito escondrijo que compartía con Carmen y su hijo desde hacía casi dos años... Hablaba con voz pausada y mirando a Forcat, pero sus palabras y su íntimo resentimiento iban dirigidos a la señora Anita y a su hija: que no sabía cómo ni dónde empezó el engaño, la deslealtad y la mala fe de su mejor amigo, pero que se había vuelto loco imaginándolo mil veces durante mil interminables noches. Que debió ser cuando el último viaje del Kim llevando dinero para ella y para sus padres, «dinero que éstos nunca recibieron, supongo que eso tampoco lo sabías», añadió escrutando a Forcat, pero que él creía que todo empezó mucho antes, puesto que el Kim dormía siempre en su casa de Horta cuando viajaba clandestinamente a Barcelona, y Carmen vivía allí y le daba de comer y le hacía la cama... ¿Desde cuándo se entendían, o se querían, desde la primera vez que ella lo acogió? ¿Quién dio el primer paso, cuál de los dos propició la ocasión y alentó ese arrebato amoroso que les trastornó y les llevó Dios sabe dónde? ¿La buscó él, la sedujo con el sombrío desencanto que lo animaba por aquellos días, o fue ella, tan necesitada de cariño y de calor siquiera por una noche...? ¿O se enamoraron de verdad y sin remedio, sin quererlo ninguno de los dos y sufriendo por esa afrenta al compañero...? Pero qué mierda importaba ya eso. Después de la detención de Nualart, de Betancort y de Camps, quién sabe si denunciados por él mismo, ¿o tampoco sabías eso?, pues esa misma noche hicieron precipitadamente la maleta y cruzaron la frontera con el niño, tal como yo le había pedido al Kim y esperaba y deseaba, pero nunca llegaron a Toulouse, nunca volví a verles...

Se movía el *Denis* con una soltura sigilosa y estricta y parecía muy seguro de sí mismo, muy conformado a su atractivo y a sus maneras frías, pero de vez en cuando no podía reprimir el gesto alertado, la mirada inhóspita del exiliado por largo tiempo que ha de aprender a vivir con un pasado amargo que lo ha condenado a la soledad.

—Pero no me resigno a perderla, Dios sabe que no —prosiguió, hundiendo las manos en los bolsillos del pantalón, como aterido—. He rastreado todo el Midi, de Marsella a Tarbes y de Toulouse a Perpiñán, y es como si la tierra se los hubiera tragado. La verdad es que ni siquiera sé si llegaron a cruzar la frontera... Podrían haberse quedado en algún pueblo de los Pirineos, o tal vez en una ciudad lo bastante grande como para no ser hallados nunca. Mi única esperanza es que se ponga en contacto contigo, niña —dedicó a Susana una mirada triste y conciliadora—, que te escriba o que venga a verte. Sí, confío en que lo hará algún día, y ese día yo estaré cerca para verlo... A ti te quiere mucho. Siempre hablaba de su niña del alma. Aunque, la verdad —y esbozó por vez primera una sonrisa melancólica—, ya no eres tan niña. Mi hijo Luis sí que es un niño, todavía, y sólo he podido verle en fotografía...

Desde hacía rato, Forcat no dejaba de mirar a Susana. Ella, sentada en la cama con la espalda muy erguida, estrechaba entre sus brazos el gato negro y tenía los ojos bajos. En diversas ocasiones, mientras el *Denis* hablaba, quise que me mirara y no lo conseguí. Intenté imaginar los sentimientos que la embargaban en este momento y me asusté. Su madre paseaba nerviosamente de un lado a otro cruzada de brazos, y, al callarse el *Denis*, se paró ante Forcat con una súplica en los ojos:

—¿Y tú sabías todo eso? ¡Di!, ¿lo sabías? ¡¿Quieres explicarte, por favor?! —Se inclinó sobre él apoyando las manos en la mesa camilla y repitió la pregunta en un tono más alterado, casi histérico, pero acabó desistiendo y se sentó cabizbaja en la mecedora blanca. Casi sin voz, añadió—: Por favor...

Forcat no dijo nada, no apartó los ojos de Susana ni las manos del dibujo, donde el humo ingenuamente convulso y tenebroso de la chimenea parecía querer filtrarse entre sus dedos manchados, y él empeñarse en retenerlo en su reducto de papel. Durante un buen rato ni siquiera pestañeó. Ensimismado, tenso, parecía escuchar todavía aquellas voces que provenían del ámbito de lo fabuloso y sentirse atrapado en una situación que lo dominaba desde allí y que no había previsto, enredado en la maraña de su propia invención, en los confines de lo intangible que adorna la mentira del mundo. Su poderosa mirada estrábica se volvía escurridiza por momentos y apenas rozaba nada del entorno, salvo a la enferma, pero no era contrición ni vergüenza lo que dejaba traslucir, sino tristeza. En qué estaría pensando, me pregunto hoy, ya instalado como él entonces en la certeza de que todo es transitorio y es lo mismo, la máscara y la cara, el sueño y la vigilia, mientras allí en la galería que ya invadían las primeras sombras de la noche todos sentíamos crecer el silencio que lo acusaba. Cada vez más dolida y confusa, la señora Anita le suplicaba una explicación.

—Déjelo estar —sugirió el *Denis*, ya sin la menor crispación en la voz—. Qué va a decir, pobre diablo.

Sus manos extendidas sobre la mesa, aparentemente empeñadas en proteger el dibujo de Susana, se me antojaron desprovistas de aquella combustión interna que las había animado y de su extraña autoridad sobre la mente y el cuerpo de la señora Anita. Hoy pienso que el gran embaucador, en el fondo de su corazón, siempre supo que lo suyo con esta mujer crédula y desdichada y vulnerable duraría lo que durase la débil llama que alumbraba el sueño de Susana, el tiempo justo que la muchacha tardase en descubrir que el *Nantucket* no había existido nunca y que si acaso existía no podía ser otra cosa que un decrépito y carcomido buque que ahora mismo estaría pudriéndose en alguna apestosa dársena de la Barceloneta, donde me gusta imaginar que él lo vio casualmente una brumosa noche de invierno mientras deambulaba por los muelles sin saber qué hacer con su vida y sus recuerdos, y que fue allí mismo, sentado en un amarre del puerto, frente a ese buque fantasma que emergía de la niebla, donde empezó a urdir la trama de su pacífico asalto a la torre, la tela de araña sentimental con la que atraparía a la madre y a la hija... Le veo durante esa primavera en los días previos a su llegada, fregando vasos y sirviendo en la taberna portuaria de su hermana casada, y en los ratos libres mirando a través de la vidriera del bar la proa de los barcos atracados enfrente y trazando la singladura del *Nantucket* en los mares de la memoria, y me gusta pensar que el quimono y los regalos que le trajo a Susana los adquirió de algún marinero asiático que se emborrachó allí alguna noche o que reclamó su atención desde la borda de su barco con su camiseta grasienta y sus ojos oblicuos para ofrecerle sonriendo una estilográfica o tabaco rubio, una colección de postales exóticas de Shanghai y de Singapur o ese bonito abanico de seda a cambio de una botella de ron o de coñac, que él birlaría de la taberna...

No había terminado aún la señora Anita de recriminarle su terco mutismo, cuando ya el *Denis* advertía el desasosiego de Susana:

—¿Qué te pasa? —le dijo, y meneó la cabeza chasqueando la lengua—: Seguro que le estabas esperando, seguro... ¿Aún crees que vendrá a buscarte? ¿De verdad lo crees, bonita? Siento decírtelo, pero juraría que el Kim nunca pensó seriamente en llevarte con él, aunque solía hablar de ello; ni a ti ni a tu madre. A tu madre ya la había olvidado cuando yo le conocí, jamás la mencionaba. Para él sólo existía la dictadura franquista y Cataluña y la libertad, y nada más... —Calló y se frotó los párpados con un gesto de cansancio, luego capté su pupila vengativa girando de nuevo en el vacío—. Pero eso era antes. Quizás ahora piensa mucho en su hijita.

Me senté otra vez en el borde del lecho, al otro lado de donde estaban ellos, y no tardé en notar entre los pliegues de la colcha la mano de Susana buscando la mía y apretándola con fuerza, mientras el *Denis* se acercaba a nosotros encendiendo un cigarrillo y, poseído de repente por una curiosidad burlona y cruel, empezó a preguntarle qué diablos creía ella que hacía su padre en Shanghai, qué pensaba que podía haber ido a buscar allí un refugiado ya sin raíces en ninguna parte y lleno de furia como el Kim, como él mismo, y si después de lo ocurrido aún tenía ganas de reunirse con él. Susana no contestó a ninguna de sus preguntas ni le miró; me di cuenta que no quería, no podía hablar de eso. Pero él insistió, vamos a reírnos un poco, que lo necesitamos todos, dijo, venga, niña, cuenta, y entonces yo al verla acosada de aquella forma decidí hablar por ella, o mejor dicho, por los dos. Con una voz tocada por una muy precaria convicción, pero con una firmeza de ánimo que aún hoy me enorgullece, mencioné el pacto entre Michel Lévy y el Kim en París, el viaje del *Nantucket* y la misión especial en Shanghai, la custodia de Chen Jing y la argucia desleal de su marido, y el *Denis*, que me escuchaba divertido con un pie en el soporte de la cama y los brazos cruzados sobre la rodilla, se interesó por algunos detalles y ciertas peripecias y me hizo repetir los nombres del capitán Su Tzu, de Kruger, Omar, Du Yuesheng, Charlie Wong... Tuve la sensación, mientras repetía los nombres de mala gana, de estar delatándoles, de profanar algo. Y me pareció que hurgaba en la herida de Forcat, al que miré varias veces solicitando su ayuda, esperando que me defendiera, pero él ya no parecía estar allí. Y la risa del *Denis* era tan extraña; se le atragantaba, era silenciosa. Hasta que Susana gritó basta, a la mierda todos, y se echó de lado sobre la almohada dándole la espalda, abrazada a su gato y de cara a mí con los ojos abiertos pero sin verme, la mirada prendida en un mundo que había perdido la transparencia y la palabra.

El *Denis* se inclinó contrito sobre ella y acarició su pelo murmurando unas palabras de disculpa, mientras la señora Anita le decía a Forcat ya más calmada, casi apenada por él: «Entonces ¿la carta, y las postales...?», y también eso tuvo que aclarárselo el recién llegado: «Mujer, lo más sencillo del mundo; imitó su letra y su firma, siempre fue muy hábil con la plumilla y el lápiz. Un verdadero artista.»

Entraba ya muy poca luz del día a través de la vidriera y ahora en el sombrío rostro del *Denis*, cuando aún palmeaba suavemente la espalda de Susana y le susurraba algo al oído, sus facciones se borraban y sólo la brasa del cigarrillo las iluminaba de vez en cuando. Sin esperar que Forcat me lo ordenara, como había hecho tantas veces a esta misma hora, encendí la luz del techo y entonces él por fin se levantó despacio de la mesa camilla y apartó las manos del dibujo. Pasó junto a la señora Anita y se paró en la puerta de la galería, se volvió y se quedó mirando la espalda de Susana; pareció que

iba a decirle algo, estaba allí de pie con la cabeza erguida y las manos ocultas en las mangas del quimono y yo
deseaba fervientemente que le dijera algo, que le diera
aunque fuera las buenas noches, pero lo que hizo fue
girar un poco la cabeza para intercambiar con el intruso
una mirada fatigada y amistosa, un leve chisporroteo
del antiguo afecto o del sueño fraternal que ambos
compartieron un día, y luego miró el cigarrillo humeante que el *Denis* sostenía entre los dedos.

—Aquí no se fuma —dijo con la voz severa y per-
suasiva, y sin añadir nada más desapareció en el interior
de la casa.

Después de pensarlo unos segundos, cruzada de
brazos y aún perpleja, la señora Anita salió tras él. Poco
después se la oyó insultarle y chillar. El *Denis* dedicó
una mueca a su cigarrillo y lo tiró al suelo y lo pisó, luego volvió a inclinarse sobre la enferma y puso la mano
en su hombro.

—Vamos a olvidarlo, ¿quieres? —dijo—. Tú que
puedes, inténtalo. Ése no es más que un pobre cuen-
tista...

Entonces reparó en mí y discretamente, pero con
cierta acritud, me hizo una seña con la cabeza para que
me fuera. Yo simulé no darme por enterado, y enseguida dijo:

—Y tú lárgate ya, chaval. Es tarde.

El dibujo inacabado de Susana, el que ella había
querido enviar a su padre para que la viera recostada en
la cama con el *chipao* de seda verde y bajo una cálida
encrucijada de luces de colores traspasando la vidriera,
seguía sobre la mesa camilla junto con la caja de lápices,
la goma de borrar y la maquinilla de sacar punta. Lo
metí todo en la carpeta, conseguí decir «Buenas noches,
Susana», y me fui.

Nandu Forcat abandonó la torre a la mañana siguiente. Los Chacón le vieron salir con su vieja maleta de cartón y la gabardina doblada sobre el hombro, y le dieron los buenos días y le preguntaron adónde iba, pero él solamente les miró. Cruzó la calle y el Mercadillo bajo un cielo descolgado y gris y desapareció en la esquina de Cerdeña.

Yo me enteré por la tarde. Esperaba encontrar a Juan y a Finito sentados ante la verja, como siempre, pero habían trasladado su tenderete a la acera de enfrente.

—Ha sido el fanfarrón ese que vino ayer —dijo Juan—. Está otra vez en casa de Susana.

—Nos ha echado de allí, dice que espiamos a Susana —añadió Finito—. Y quería saber si tenemos licencia del Ayuntamiento para montar un tenderete en la calle, el cabrón... Pero ¿qué se ha creído este tío? ¿Quién es, Dani?

—Un amigo de su padre. ¿Ha vuelto antes o después de irse Forcat?

—Después.

—Yo creo que este chulo piensa que lo vamos a espiar a él —dijo su hermano.

Las persianas de la galería estaban echadas. A esta hora, la señora Anita ya debía estar encajonada en su taquilla del cine Mundial. Llamé a la puerta y abrió el *Denis* en mangas de camisa, el cigarrillo en los labios y la corbata desanudada y colgada del cuello como una serpiente muerta. Su pelo negro azulado era tan liso y estaba tan bien peinado que parecía postizo. Me dijo que Susana no se encontraba bien y que no quería ver a nadie por lo menos durante dos o tres semanas, o tal vez más, así que gracias por el interés y abur, chaval. Y me cerró la puerta en las narices.

Lo intenté dos veces más y siempre con el mismo resultado: Susana necesitaba descansar. Más adelante supe que el *Denis* no vivía en la torre, pero que iba todos los días y que solía pararse en el Mercadillo a comprar fruta y a veces pescado para obsequiar a la señora Anita y a su hija. Una tarde de principios de septiembre que hizo mucho calor salió de la torre en camiseta, cruzó la calle abanicándose con un periódico y mandó a Finito a comprar un frasco de brillantina y otro de masaje Floïd, y le dio una buena propina. Otro día salió con un par de zapatos de dos colores para que los llevara a un remendón y les pusiera medias suelas, y la propina también fue generosa.

Por aquellos días, al amanecer de un lunes desapacible, yo estrenaba avergonzado un largo guardapolvo gris que me había comprado mi madre y entraba como aprendiz en el taller de la calle San Salvador, y a partir de entonces la mayor parte del día me la pasaba recorriendo Barcelona colgado en los estribos de los tranvías, entregando joyas en tiendas y a clientes particulares o llevándolas a grabadores y engastadores, siempre con su visera verde y su olor a laca recalentada. Contrariamente a lo que había creído mi madre al escoger para mí este oficio, nunca llegaría a diseñar un broche o una sortija, nunca fue necesaria ni requerida mi supuesta habilidad para el dibujo, pero en cambio puedo decir que a los quince años ya me conocía la ciudad palmo a palmo con todas sus calles y sus plazas, sus líneas de tranvías y sus estaciones del Metro, desde el Barrio Chino al parque Güell y desde Sants al Poblenou. Cuando no había recados que hacer atendía las órdenes de los treinta operarios del taller sentados en tres largas mesas, o me quedaba de pie con las manos a la espalda junto al oficial más rápido y experto, fijándome en cómo manejaba la finísima sierra, las limas o el soplete. El aprendizaje duraría dos años y la semanada era de quince pesetas, y aunque el oficio llegaría a gustarme, al principio pensé que no aguantaría ni quince días.

Pero pasaron casi dos meses sin darme cuenta y a finales de octubre, una noche que mi madre invitó nuevamente a cenar a su amigo el callista, me encerré en mi cuarto y terminé de memoria el dibujo de Susana. Supongo que era una forma de volver a estar con ella en la galería, volver a verla: recostada en la cama, era como una figurita de porcelana dentro de una caja de cristal, cercada por el humo negro de la chimenea y por el quimérico gas que había obsesionado al capitán Blay. Me gustó y decidí llevárselo. No estaba seguro de que ella lo aceptara, incluso corría el riesgo de que me mandara a la mierda con el dibujito, pero era una excusa para visitarla. Fui un domingo por la mañana esperando que me abriera la puerta la propia Susana o su madre. Los Chacón y su tenderete hacía ya tiempo que no estaban en la acera frontal. Vi la mecedora blanca en el jardín, junto a una mesita de mimbres con revistas y un cenicero.

Me abrió la señora Anita, en su mano temblorosa un vaso de vino con los bordes manchados de carmín, nerviosa en extremo y muy contenta de verme. Me dedicó una amable regañina por haber olvidado a su pobre niña enferma y luego se colgó de mi brazo, murmuró «¡Daniel y los leones!» con su voz risueña y volvimos a enfilar juntos el oscuro corredor de alto techo estucado y roñoso, el largo túnel que en los días soleados terminaba en una explosión de luz. Pero súbitamente, a mitad de camino, se paró con la cabeza sobre el pecho y apoyó la mano en la pared, derramando el vino del vaso; y mientras deslizaba las yemas de los dedos por la pared, como si rastreara algún relieve en la superficie, se echó a llorar en silencio. Pensé que tal vez Susana había recaído en su enfermedad... Se volvió hacia mí, sonriendo un poco con sus ojos azules vidriosos, puso la mano en mi pecho y dijo: «Ven siempre que quieras, hijo», echando en mi cara un aliento que apestaba a vinazo. Sentí que la crispada desolación del gesto, sus dedos ahora engarfiados en mi camisa, paralizaban mi capacidad de reacción. Entonces ella hizo un esfuerzo por reponerse y dijo:

—Necesito un poco de perejil. Se lo pediré a la vecina. —Y con paso inseguro, llevándose el vaso a la boca, se escabulló por el corredor como una sombra y se metió en su cuarto.

3

Si había sufrido una recaída, la superó y de qué modo: no parecía la misma muchacha, no era la misma. Llevaba el lustroso pelo negro recogido en dos gruesas trenzas y partido por una raya perfecta sobre la frente, orlada de diminutos rizos rebeldes y algo sudorosa, y a pesar de las trenzas y los ricitos, parecía mayor: los ojos más hundidos, la cara más angulosa y morena, los labios como inflados. Sentada en la cama con un holgado jersey gris de hombre sobre el camisón, las rodillas alzadas y abierta de piernas bajo la fina sábana, tenía las manos metidas entre los muslos y toda su atención puesta en el manejo de una cajita plana, un entretenimiento con bolas del tamaño de perdigones que había que introducir en unos agujeros, y del que no se desprendió en ningún momento mientras yo estuve allí. Me miró de soslayo y respondió a mi saludo con una parodia burlona del lenguaje de los tebeos:

—Pero, ¡hola!, ¿a quién tenemos aquí?

—Me dijeron que no querías ver a nadie...

—Seguramente. Ya no me acuerdo.

—¿Te encuentras mejor? ¿Ya no tienes fiebre?

—Dicen que estoy como una rosa. Ja.

—¿Sigues teniendo décimas...?

—Cada vez menos —cortó impaciente. Con gestos rapidísimos deshizo las trenzas—. Y ya salgo al jardín.

Observé que en la mesilla de noche ya no estaba la foto del Kim con el sombrero ladeado y sonriendo al futuro. Habían encendido la estufa, pero sobre ella no hervía ninguna olla con hojas de eucalipto. Sus manos recuperaron la caja.

—¿Sabes que ya trabajo? —le dije—. Ahora sólo tengo libres los domingos.

—Bueno, los domingos y la tarde del sábado, ¿no?

—La tarde del sábado me toca limpiar el taller.

—Vaya. Así que ya eres joyero —dijo haciendo rodar las bolitas en la caja—. ¿Y qué, te gusta?

—Todo el mundo dice que es un buen oficio.

—¿Ah, sí? ¿Y tú qué dices?

—Yo nada.

No había vuelto a mirarme a la cara desde que entré. La cajita que balanceaba entre sus piernas era un poco más grande que una caja metálica de cigarrillos Craven, pero ésta era de plexiglás y con tapa transparente; las bolitas rodaban sobre una mar rizada y esmeralda con tiburones que abrían la boca, y cada boca era un agujero por el que había que meter las bolitas. Le pregunté quién se lo había regalado y no me contestó.

—Nunca lo había visto —dije—. ¿Es un juego nuevo?

—Claro, ¿no lo ves? Sigues igual de lento y tontarrón, Dani.

Me senté a su lado en el borde de la cama y me incliné para ver mejor.

—Terminé tu dibujo. —Dejé resbalar la carpeta del sobaco y me dispuse a abrirla—. ¿No quieres verlo?

—Mierda y mierda —dijo como para sí misma—. Me queda una bola y no le da la gana de entrar... Tú y tus dibujitos, niño. Eres bobo.

—Pensé que te gustaría...

—¡Ja! —me cortó—. Vaya con el artista. Me tenías que haber dibujado de otra manera, criatura, ¿es que no te das cuenta? Sí, de otra manera... —Nerviosa porque no conseguía meter la bolita en el agujero—. Me va a dar la risa, oye. ¿Por qué no me has dibujado cagando, sí, cagando una buena tifa debajo de una gran chimenea y con un negro abanicándome el culo, o mejor un chinito, eh? ¿Qué te parece? ¿No crees que quedaría mejor? —Apartó los ojos del juego para mirarme y añadió con una sonrisa triste y el tono más suave—: Rómpelo, bobo. ¿Para qué lo queremos?

—A mí me gusta.

—¡A él le gusta! —Volvió a centrar su atención en el juego y farfulló—: ¡Pues vaya!

—Sí, ya sé... Pero en el dibujo estás muy bien. Míralo. Por favor.

—Te lo regalo. Y vete ya. Eres un pobre chaval de lo más ridi.

Y se revolvió hacia mí riéndose y quiso golpearme con la cajita, pero agarré su mano en el aire y desistió, rindiendo la cabeza sobre mi hombro. Como tantas otras veces que la había tenido muy cerca a mi lado, en el transcurso de aquellas tardes del último verano en compañía de Forcat, me pareció que el aire salobre del mar tantas veces evocado volvía a enredarse en su pelo y que por un breve instante se quedaba pensativa y entornaba otra vez los párpados para retener una luz de lejanías, la reverberación de un sueño; pensé que tal vez acabaría por aceptar el dibujo y mi candidez. Pero de pronto atenazó mis muñecas arrodillándose en la cama, y yo me dejé hacer; me tumbé de espaldas y ella montó a horcajadas sobre mi vientre, sin soltarme.

—¿Lo ves? —dijo—. Ahora tengo más fuerza que tú.

Apretaba los muslos a mis costillas y se agitó un poco sobre mi vientre como si cabalgara, y yo permanecí inmóvil. Sus cabellos se derramaban en mi cara y, entre esa maraña negra, en su mirada burlona y soñolienta, vi brillar por un brevísimo instante una chispa de crueldad. Se frotó enérgicamente contra mí un rato más, su entrepierna cálida remontando despacio mi torso dócil y mi imaginación rendida, mi traicionada y desvalida complicidad y mi secreta solicitud de fiebre y de microbios, mi sumisión a los caprichos de una voluntad que ahora parecía no pertenecerle ya del todo, a un aroma sexual que de algún modo percibí que no era ya enteramente suyo ni podía compartir conmigo. «Entérate, niño», dijo, y nuevamente vi entre sus cabellos sueltos el fulgor acerado de su ojo. Enseguida me descabalgó y se hizo a un lado, me empujó fuera de la cama y la carpeta cayó al suelo. «Vete», volvió a decir. Me agaché a coger la carpeta y al incorporarme lo vi a él parado en el umbral de la galería.

El *Denis* se abrochaba la correa del reloj en su muñeca izquierda, las mangas de la camisa blanca arremangadas y el pelo muy estirado peinado con brillantina. Nunca sabré si en sus visitas a la torre se escondía de un peligro real, si aún había contra él orden de caza y captura o si estaba allí sólo por la cara, de golfante, como estuvo antes Forcat. Pero todos sus gestos y posturas a veces un tanto rebuscadas, incluso su manera de andar, viendo siempre dónde pisaba y con fugaces miradas de soslayo, denotaban una larga y consumada relación con la clandestinidad. El sentimiento de la clandestinidad, según yo mismo habría de experimentar años después, es un complemento de los sueños y conforma un estilo, una manera de estar ensimismada e incluso una forma de coquetería. Así es como yo había imaginado siempre al Kim: parsimonioso y alertado, felino, nómada y romántico. Pero aun cuando el *Denis* mereciera cierta consideración por eso, por los ideales y un destino implacable que había compartido con el Kim y por traer a la torre la verdad verdadera, desenmascarando a Forcat y denunciando su impostura, yo no podía entonces dejar de pensar que esa verdad verdadera que trajo consigo de Francia una tarde lluviosa había arrojado a Forcat a la calle, y simplemente por eso el chulo me cayó mal desde el primer momento.

—Ya lo has oído, chico. —Avanzó muy decidido hasta la cama y tuve que apartarme para dejarle paso. Mirando a Susana añadió—: Hace un buen día y es tu hora de sol, así que ¡arriba! —Apartó la sábana de un manotazo, cogió la colcha arrugada al pie de la cama, envolvió con ella a la enferma y se la llevó en volandas al jardín. Ella le dejó hacer con los ojos cerrados y rodeando su cuello con los brazos.

Me quedé un instante allí parado viéndoles salir, mirando las uñas rojas de Susana y sus dedos entrelazados en la nuca de aquel hombre, su boca entreabierta cobijada en su cuello, rozando con los labios la nuez prominente, y luego salí también al jardín, pero no fui con ellos, ya no les seguí hasta el rincón soleado, más allá del sauce, donde él la depositó suavemente en la mecedora blanca, abrigó sus piernas con la colcha y le habló al oído. Algo se quebró en mi interior. Me dirigí hacia la verja sin despedirme y cuando la abría, con mi carpeta bajo el brazo y maldiciendo en voz baja al intruso, me volví a mirarles. Susana tomaba el sol meciéndose embutida en la colcha, y el *Denis*, sentado en el suelo bajo el árbol, miraba en lo alto y con fijeza las ramas desfallecidas. Tras él, junto al muro enjalbegado por Forcat, la rinconada de lirios azules, la hiedra polvorienta y los jacintos languidecían bajo la sombra ominosa de la chimenea. Luego, el *Denis* cerró los ojos.

Siempre que le recuerdo así, con la espalda recostada en el tronco del sauce y las manos en la nuca, dejando caer lentamente los párpados sobre los ojos, lo asocio a la tortuosa e implacable voluntad que seguramente ya le dominaba, a la fría sinrazón que ya debía regir todos sus actos; si el daño que iba a causar fue premeditado, juraría que lo fue en este plácido rincón del jardín mientras velaba el reposo de la muchacha tísica, en un soleado mediodía como éste, respirando el aroma de las flores.

Me fui Camelias abajo y vi a la señora Anita que volvía a casa por la misma acera y sosteniendo en la mano temblorosa una ramita de perejil como si fuera un delicado ramillete de flores. Venía de la torre vecina con la vista baja, agitando su corta melena rubia, y pasó a mi lado sin verme.

4

Pasó mucho tiempo, y cuando creía que ya nada referente a la torre podía importarme, supe que Susana se había curado completamente, que su madre era una pobre borracha pero que aún conservaba su empleo de taquillera en el cine Mundial y que el *Denis* regentaba un bar en la calle Ríos Rosas, gastaba mucho dinero y vestía como un figurín. Nadie lo sospechaba entonces, y yo el que menos, pero después se sabría que sus ingresos provenían del cobro de cuotas a viejos militantes republicanos y de atracos a establecimientos comerciales.

En febrero de 1951, tres años después de mi última visita a la torre, Finito Chacón, que iba en una furgoneta de la Damm repartiendo cajas de cerveza y ya presumía de bigotito y de conocer todas las casas de putas del Barrio Chino y los bares de alterne más selectos de la ciudad, me dijo que había visto a Susana fregando vasos detrás del mostrador del bar de fulanas del *Denis* en Ríos Rosas; que había estado con él de lo más simpática y que vaya chavala, que estaba más buena que el pan, que tenía la piel fina como su madre y el culo más cachondo que te puedas imaginar, oye, aunque él no sabía si trabajaba allí solamente como camarera o si también «tragaba» como las demás, pero que pensaba dejarse caer por el bar un sábado por la noche con su traje nuevo y averiguarlo, porque al parecer la niña ya no dormía en casa...

—¿Por qué me cuentas todo eso? —lo interrumpí de mala uva—. ¿Quién te ha dicho que me iba a interesar? A mí qué me importa lo que haga.

Por aquel entonces, cuando se fue definitivamente de casa para vivir con su amante, Susana tenía apenas dieciocho años, uno más que yo. A su madre se la veía yendo o viniendo de casa al cine o a la taberna, cada vez más frágil y desmejorada, a menudo bastante borracha y hablando sola, y parecía un milagro que aún conservara su empleo, el cutis tan fino y el oro de su melena rubia. Decía, a quien quisiera oírla, que Susana había ido a buscar a su padre y que pronto volverían a casa juntos. En el verano enfermó y la viuda del capitán Blay, doña Conxa, iba todos los días a la torre y la cuidaba. Y entonces, una noche que nadie supo precisar, ni siquiera doña Conxa, y de la misma silenciosa manera que había hecho mutis, reapareció Forcat y se instaló otra vez en la torre y en la vida de la señora Anita para salvarla de sus desvaríos y del alcohol. Susana llevaba más de seis meses fuera de casa.

A partir de ahora sólo dispongo de comentarios y chismes de vecindario, pero puedo afirmar que no merecen menos crédito que mi testimonio. Dos semanas después de su regreso, a Forcat le vieron apearse de un taxi frente a la verja de la torre y ayudar a bajar a Susana, que parecía no tener fuerzas y llevaba una pequeña maleta y un abrigo de pieles baratas doblado en su brazo; le vieron muy solícito cargar con la maleta y coger del brazo a la muchacha para entrar juntos en la torre. Era la mañana de un sábado del mes de julio y había mucho trajín en el Mercadillo. No podía saberse, en un principio, si Susana volvía a casa para quedarse o solamente con intención de cuidar a su madre durante unos días, pero lo que sí parecía cierto es que Forcat se encargó personalmente de ir en su busca y convencerla para que viniera; también se dijo que la iniciativa del regreso podía haberla tomado la muchacha al no soportar la mala vida que llevaba y el trato que debía darle aquel chulo: no había más que verla cuando llegó, tan consumida y avergonzada, aunque en honor a la verdad había que admitir que, incluso mirándola con malos ojos y sin olvidar que era hija de quien era, no parecía una fulana, no iba pintarrajeada ni vestía como ellas ni enseñaba nada, no se le notaba; más bien parecía haber sufrido una recaída en la tisis y salir de un hospital, amedrentada y ojerosa y con algunos moretones en la cara... En cualquier caso, el segundo día de su vuelta al hogar, a última hora de la tarde de un lunes 7 de julio, el *Denis* se presentó en la torre.

Mucho tiempo después de esa noche en que reapareció el *Denis*, cuando la bebida y la mala conciencia ya habían devastado su memoria, la señora Anita insistía machaconamente en aclarar ciertos pormenores: que no fue ella quien le abrió la puerta, que ella nunca le había recibido de buen grado en su casa porque ya sabía que era un baranda y un pistolero, aunque le daba pena verle siempre tan amargado y obsesionado, incapaz de perdonar y de olvidar, y que desde luego jamás podía haberse imaginado el desvarío de su niña con ese depravado y tampoco la mala entraña del tío, su voluntad de perderla. El maldito cabrón podía haberse ensañado conmigo, decía, me han hecho tantas y tan gordas en esta vida que una putada más qué hubiese importado, tengo ya la piel muy dura, pero no, él sabía muy bien que esta criatura enferma era lo que más quería el Kim en este mundo... Que esa noche, ella, la señora Anita, se había acostado muy temprano y con mucha fiebre y sudaba como un pollito, así que Forcat fue quien abrió, pensando seguramente que era doña Conxa volviendo de la taberna con hielo picado; Susana acababa de ducharse y estaba en albornoz, y mientras se secaba el pelo con la toalla subió al cuarto de Forcat en busca de aspirinas, y entonces ocurrió. Que no lo percibió con los ojos, sino con el corazón: el *Denis* irrumpiendo furioso y llamando a gritos a la niña por todo el corredor y la galería, como un loco, y Forcat tratando de calmarle, tratando primero de razonar y luego discutiendo violentamente con él, echándole en cara su resentimiento y su odio sin fondo y su cobardía, hasta que el *Denis* se impuso y lo llamó farsante y parásito y lo amenazó con echarle otra vez a la calle y con matarle si se interponía entre él y Susana. Voy a llevármela, dijo, y ni Dios lo va a impedir. Que en ese momento oyó angustiada a su hija bajar las escaleras muy deprisa, y decidió levantarse y se puso la bata y salió al corredor, pero ya no pudo alcanzarla, y entonces escuchó los dos disparos que atronaron por toda la casa; llegó a la galería a tiempo de ver a Susana con la toalla liada a la cabeza y la espalda contra la pared, paralizada y con los ojos fijos en el revólver que Forcat empuñaba probablemente por vez primera en su vida, y al *Denis* tambaleándose mientras se dirigía a abrir la puerta para salir al jardín, donde dio tres pasos y cayó de bruces; y que entonces Forcat salió tras él y allí mismo, con un pie en el escalón más bajo, despacio y ladeando la cabeza, con una reflexiva precisión en la mano que empuñaba el revólver y en la mirada estrábica, vació el cargador sobre el cuerpo inmóvil tendido en la grava. Luego él mismo llamó a la policía, entregó el revólver y se dejó esposar, y cuando se lo llevaron miró a la niña pero no pronunció una sola palabra, no es verdad que le dijera ahora ya no tienes nada que temer, o cuídame a tu madre y pórtate bien, eso lo inventó la gente o tal vez yo misma, quién sabe si lo soñé, decía la señora Anita, estuve tan confusa y trastornada, todavía hoy esos horribles disparos me despiertan por la noche, los oiré hasta que me muera; y tampoco se despidió de mí con un beso ni dijo volveremos a vernos ni nada de eso, sabía muy bien lo que le esperaba, y además de qué le iba a servir al pobre, si aunque hubiese querido ya no podía volver a engatusarme con buenas palabras, como había hecho tantas veces... Que Forcat no apartó un solo instante su ojo desquiciado de la espalda acribillada del muerto, dijo, y que no volvió a abrir la boca, ni siquiera para responder a las preguntas de los policías o para quejarse del mal trato que le daban...

Lo contaba así, desde el sedimento limoso de una memoria estancada y pugnando por desprenderse de conjeturas ajenas y propias, como si también ella estuviera poseída por emociones y prejuicios que empañaban la verdad, que no pertenecían a esa fatídica noche y tenían poco que ver con la realidad de los hechos. El puñetero destino, solía lamentarse, ha jugado con mi niña como si fuera una muñeca, tal como si fuera mismamente uno de esos capullitos del rosal enfermo de mi jardín que, sin tiempo de abrir, se agostan y se pudren. Ha sido nuestra mala estrella, la suerte perra de los pobres, la condenada tuberculosis y también las patrañas del zángano de Forcat, ese muerto de hambre, más falso que un duro sevillano; y lo peor de todo, la mala sangre de un chulo putas. ¡Señor, Señor, ¿por qué tenías que engatusarla con esta quimera de que un día iba a reunirse allá lejos con su padre, si después ibas a quitársela?! ¿Por qué todo este rosario interminable de afanes y sufrimientos?, se preguntaba, ¿por qué cultiva Dios en el corazón de los hombres tantas ilusiones para luego troncharlas o dejar que se mustien?

En cierta ocasión, comentando en el mostrador del bar Viadé la curación definitiva de su hija y su reciente salida de la residencia de monjas donde había estado recluida casi un año, sufrió un desvanecimiento y cuando se hubo repuesto ayudada por el dueño y un par de clientes, con aire reflexivo y un poco alelada, como si prosiguiera otra conversación iniciada tal vez en sueños, dijo que no señor, que no era cierto lo que decían de su niña, eso de que ya estaba curada de la tuberculosis cuando sucumbió al amor vengativo y furioso del *Denis*, y, sin venir a cuento, añadió que tampoco era cierto que Susana se hubiese defendido de aquel degenerado con un cuchillo de cocina, sino que lo hizo con un revólver a pesar de no haber manejado ninguno en su vida, y que precisamente ella estaba tan cerca cuando ocurrió que los disparos la dejaron sorda... Eso dio pie a nuevas y disparatadas variantes del suceso, una de las cuales pretendía que los dos primeros disparos, que la señora Anita siempre dijo haber oído desde el corredor, habrían sido efectuados por su hija, y que esas dos balas habrían bastado para acabar con el *Denis*; y que acto seguido, Forcat le habría arrebatado a la muchacha el revólver todavía humeante para disparar las cuatro balas restantes sobre la espalda del muerto.

Me gusta ese desvarío, me gustó desde el primer día que lo escuché, y en el transcurso de los años lo he cultivado secretamente en mi corazón. Bien pensado, ¿quién sino Susana podía hacerse con el revólver de Forcat, puesto que estaba en la habitación de éste cuando llegó su amante con gritos y amenazas? No parecía normal que Forcat llevara el arma encima al abrir la puerta...

Pero más que una hipótesis, era un sentimiento. Porque así, rematando el cadáver caído en el jardín para exculpar a la niña, el estrábico embustero culminaba su impostura.

5

Mi madre se casó con el callista Braulio y él nos llevó a vivir a su casa, un piso grande y soleado en la plaza Lesseps que compartía con una hermana soltera. Tenía cuatro habitaciones, baño, cocina y terraza posterior en el último piso de un bloque de viviendas recién construido. Quedaba un poco lejos de Cerdeña-Camelias, pero no del taller, al que ahora iba en bicicleta, regalo de Braulio. El callista era un narizotas robusto y optimista, cariñoso con mi madre y hasta divertido, tenía un loro al que llamaba *Clark Gable* y le gustaba cocinar y cantaba en la ducha, y todo eso alegró la vida de mi madre; pero se consideró obligado a ejercer de padre y yo no le dejé. No podía tomarme en serio aquel hombretón con brazos de Popeye y sonrisa bondadosa, era un plasta contando sus cosas y nunca conseguí mantener con él una conversación que no fuera trivial; tenía el don de hacer que todo pareciera insustancial y tonto, yo el primero: nos poníamos a hablar y a los cinco minutos me sorprendía a mí mismo diciendo necedades. Con el tiempo, su trato llano y sincero y su balsámica influencia habían de limar mi petulancia juvenil y aprendería a quererle, pero por aquel entonces el recuerdo de mi padre volvía a obsesionarme, aunque ya no pensaba en su muerte solitaria con angustia como cuando era niño; sabía que nunca regresaría y que tampoco cabía esperar noticia alguna de su paradero, pero su cuerpo abatido en la trinchera y la copiosa nevada que lo iba cubriendo seguían allí, en el rincón que yo creía más infalible y protegido de la memoria, hasta que un día ocurrió algo y la imagen se me quedó inesperadamente desprovista de emoción, revelando su origen artificioso: ocurrió que ese día mi madre, mirándome con afectuoso recelo, me preguntó de dónde puñeta había sacado yo esa trinchera y esa gran nevada, esa idea que tenía desde muy pequeño y que ella nunca se atrevió a desmentir, porque para un niño sin recuerdos de su padre era mejor eso que nada, pero que ella jamás me habló de tal cosa ya que en su día no había conseguido averiguar ni siquiera si tu padre murió en el frente, dijo, y mucho menos en qué forma y si llovía o nevaba o hacía sol cuando ocurrió, de modo que ya ves, todo eso no son más que figuraciones tuyas... Menos mal que el tiempo lo borra todo, hijo, añadió con una sonrisa ambigua, no sé si de alivio o de tristeza.

Después del traslado de piso, mi madre siguió visitando regularmente a doña Conxa y ayudándola en lo que podía, y por ella supo que Susana estuvo un tiempo trabajando de dependienta en una floristería de la plaza Trilla y luego en una juguetería de la calle Verdi, y que ahora suplía a su madre en la taquilla del cine Mundial. Varias veces me propuse ir a verla al cine, pero pasaron meses antes de decidirme. Había creído siempre que me libraría de la mili por ser hijo de viuda, pero un año después del casamiento de mi madre fui reclutado y destinado a Xauen, al norte de Marruecos, lo cual me alegró. Cuanto más lejos, mejor, cruzaría el estrecho de Gibraltar y tal vez el desierto del Sáhara, conocería Sidi Ifni y las montañas del Rif, África, otro continente... Me sentía como si fuera a emprender un largo viaje al fin del mundo justo en el momento en que tenía necesidad de pegarle un buen corte de mangas a muchas cosas.

Dos días antes de partir para Algeciras fui a despedirme de Finito Chacón, que ya no trabajaba de repartidor de la Damm porque lo pillaron birlando cajas de cerveza; ahora estaba de chico para todo en un taller de reparaciones de coches en la calle Ros de Olano, no muy lejos del cine Mundial. Pero cuando llegué al taller me dijeron que ya tampoco trabajaba allí, lo habían despedido por robar unos neumáticos y un faro de motocicleta.

Ya lo sabía, me dije al salir del garaje, estaba cantado, Finito, y seguidamente pensé qué más da, olvídalo, y me esforcé en convencerme de que nada de cuanto pudiera pasarles a los Chacón tenía ya que ver conmigo ni podía afectarme, me dije qué bueno sentirme por fin descolgado del barrio y de sus pobres afanes, me lo repetía una y otra vez mientras caminaba en dirección al cine Mundial con una extraña determinación y renegando del tiempo pasado y sus espejismos, qué bien sentirme ya distante y desarraigado y qué alivio que me importen un huevo las expectativas de entonces, mis prometedoras y al cabo frustradas dotes de dibujante, aquellos delirios del capitán Blay reclamando solidaridad para una niña tísica que acabaría prostituyéndose y su cólera y su pena al no conseguir ni una veintena de firmas, qué suerte sentir que se alejaba cada vez más el recuerdo de aquellos hombres clavados en la vía pública como estacas, sentirme ajeno a la memoria de mi padre y a la tramoya gélida y sepulcral de su muerte y al aburrido callista casado con mi madre y también al destino previsiblemente marginal y delictivo que aguardaba a los hermanos Chacón. Qué chamba la mía, pensaba...

Pero fue inútil, no podía creerme ni una palabra de aquella cháchara porque no lograba sentir nada, porque eran precisamente esos sentimientos que pretendía enterrar los que me empujaban hacia un pequeño cine de barriada, porque entonces yo aún no sabía que a pesar de crecer y por mucho que uno mire hacia el futuro, uno crece siempre hacia el pasado, en busca tal vez del primer deslumbramiento. Y cierta curiosidad morbosa al pensar en Susana, al imaginarla esforzándose por borrar de su mente y de su sangre el oficio y los resabios de puta que aprendió en brazos de su chulo, preguntándome si después de un año recluida con las monjas se habría curado de eso totalmente lo mismo que se había curado de la tuberculosis o si le quedaría ya para siempre algún estigma en la mirada o en el trato con los hombres —y sobre todo, ¿sería capaz de preguntarle si de verdad llegó a empuñar aquel revólver y fue ella la que disparó primero...?—, y una tristeza indefinible que empezaba a no controlar, creciente según me iba acercando al Mundial, borraron en menos de un soplo aquellos anhelos selectivos de la memoria, tan infundados como arbitrarios.

Y al entrar en el vestíbulo del cine y verla haciendo ganchillo en aquel oscuro agujero que también había cobijado a su madre, un ventanuco en medio de la pared estucada llena de raspaduras y jirones de carteles, justo unos segundos antes de tener que esforzarme en reconocerla y de empezar a desear no estar allí, volví a verla casi a pesar mío sentada en la cama y abrazada a sus rodillas alzadas y a su querido gato de felpa, escuchando con los ojos devotamente cerrados el rumor de la ciudad prometida, una niña ovillada en su costumbre de lejanías y de mentiras, soñadora y confiada en su cálido refugio de cristal, en su pequeña burbuja afortunada. La imagen se esfumó enseguida; lo que ahora tenía enfrente era una joven algo mofletuda y colorada, con gafas y de aspecto sano, el pelo recogido en una cola de caballo y los labios sin pintar. Con poco más de veintitrés años, su frente seguía siendo hermosa y su piel muy tersa, pero no quedaba ni rastro de la efusión rosada y sensual de la boca, aquella enfurruñada plenitud del labio superior y su turbadora ansiedad. Aplicada a su paciente labor de ganchillo con los ojos bajos, ni ella ni el agujero que habitaba en el desierto vestíbulo parecían tener relación alguna con el entorno, con el tráfico en la calle ni con los apresurados viandantes, y ni siquiera parecía consciente de estar allí metida, tan abstraída de todo y acaso todavía ensimismada en la difícil renuncia de lo que debía haber sucedido hace tiempo y no sucedió nunca. Cuántas veces no habré pensado en la naturaleza desvalida de sus recuerdos como si fuese un reflejo de la mía igualmente desvalida.

Lo mismo que el Kim aquella fatídica noche que se miró en las oscuras y fatigadas aguas del río Huang-p'u desde el embarcadero, sentí la ciudad a mi alrededor como un tumulto de basura y chatarra, no supe qué hacer y me puse a mirar las fotos expuestas en los paneles. Después de un rato simulando interés por unos rostros y unas figuras que parecían estar allí desde siempre y que en realidad no miraba, me encaminé hacia la taquilla. Algo que no llegaba a ser ni siquiera mi sombra, el apagado rumor de mis pasos tal vez, el aire que desplazó mi cuerpo o simplemente la costumbre de presentir una presencia delante de la taquilla, la alertó sin necesidad de verme y dejó a un lado la labor de ganchillo, cogió el taco de entradas y preguntó: «¿Cuántas?», sin alzar los ojos, y yo dije: «Una», pagué y acto seguido me sorprendí ya casi dentro del cine y prometiéndome saludarla al salir, manoteando atolondradamente la inacabable y mohosa cortina de un extremo a otro hasta conseguir abrirme paso y refugiarme en la oscuridad de la platea, encogido en una butaca de la última fila y sintiendo más pena de mí mismo que de ella.

Durante un buen rato no me enteré de qué iba en la pantalla. Lo que veía desfilar ante mis ojos una y otra vez era una sola imagen que parpadeaba congelada y silente como si se hubiese atascado en el proyector, una reflexión de la luz más ilusoria que la de una película pero grabada en el corazón con más fuerza que en la retina del ojo, y que ha de acompañarme ya para siempre: un paquebote blanco como la nieve navegando engalanado por los mares de China bajo la noche estrellada y una muchacha paseando por cubierta a la luz de la luna con un *chipao* de seda abierto en los costados, la brisa en los cabellos y toda ella trémula de lejanías, fascinada por el vasto mar fosforescente, por la plata reiterada en la cresta de las olas hasta el horizonte, Susana dejándose llevar en su sueño y en mi recuerdo a pesar del desencanto, las perversiones del ideal y el tiempo transcurrido, hoy como ayer, rumbo a Shanghai.

Nota del autor: El poema de las páginas 122-123 es «La ciudad», de C. P. Cavafis, en versión libre y hasta ahora inédita de Ángel González.

Este libro ha sido impreso en los talleres
de Novoprint S.A.
C/ Energía, 53 Sant Andreu de la Barca
(Barcelona)